LES GRANDS CLASSIQUES ILLUSTRES

L'ILE AU TRESOR

Robert Louis Stevenson

adaptation de
Deirdre S. Laiken

traduite par
Nicole C. Lavigne

illustrations de
A. J. McAllister

EDITIONS ABC

DIVISION PAYETTE & SIMMS INC.

LES GRANDS CLASSIQUES ILLUSTRES

collection dirigée par
Malvina G. Vogel

EDITIONS ABC

Division Payette & Simms Inc.

SAINT-LAMBERT (Québec) CANADA

Imprimé au Canada

Table des matieres

Chapitre   **page**

1. Un visiteur se présente à l'auberge   9
2. Chien-Noir   19
3. La marque noire   31
4. Le coffre du capitaine   43
5. La fin de l'aveugle   55
6. Les papiers du capitaine   63
7. Le voyage à Bristol   71
8. A l'enseigne de "La Longue-Vue"   75
9. Le capitaine et son équipage   85
10. Le voyage   91
11. Ce que j'entendis dans
    le tonneau aux pommes 101
12. Conseil de guerre 107
13. Le commencement de mes
    aventures à terre 113
14. John Silver frappe le premier coup 119
15. L'habitant de l'Ile au Trésor 127
16. Le capitaine raconte comment
    le bateau fut abandonné 139
17. Le docteur raconte le dernier
    voyage du canot de sauvetage 145

18. Jim continue le récit 151

19. La proposition de John Silver 159

20. L'attaque 165

21. Le commencement de mes
    aventures en mer 171

22. Israël Hands 177

23. Dans le camp de l'ennemi 187

24. Le plan 193

25. La chasse au trésor 197

26. La révolte des hommes de Silver 205

27. La fin de mon aventure 217

A propos de l'auteur

Robert Louis Stevenson naquit à Edimbourg en Ecosse le 13 novembre 1850. De santé trop fragile pour poursuivre dans la tradition familiale et exercer la profession d'ingénieur, il devint écrivain et grand voyageur.

Stevenson épousa une jeune femme américaine et écrivit *L'Ile Au Trésor* pour son beau-fils. Le livre fit de lui une célébrité et ses essais, poèmes et nouvelles augmentèrent encore sa renommée.

Il mourut à l'âge de quarante-quatre ans sur l'île principale de l'archipel de Samoa.

Après *L'Ile Au Trésor,* Robert Louis Stevenson écrivit de nombreux autres romans que tous, petits et grands du monde entier, connaissent et adorent: *Enlevé, La Flèche Noire* et *Docteur Jekyll et M. Hyde.*

Les personnages du roman

Jim Hawkins, *le jeune garçon qui raconte l'histoire.*

La mère de Jim,

Billy Bones, *un pirate que tous appellent "Le Capitaine".*

Docteur Livesey,

Squire Trelawney*, *les amis de Jim qui partent avec lui pour l'Ile au Trésor.*

Chien-Noir, *un étrange visiteur*

Pew, *l'aveugle*

Long John Silver, *dit* Grand-John, *le pirate à une jambe.*

Capitaine Smollett, *le capitaine de l'Hispaniola.*

Ben Gunn, *l'habitant de l'Ile au Trésor.*
Les marins de l'*Hispaniola*:
Arrow
Israël Hands
Redruth
Hunter
Joyce
Gray

*Le mot "squire" désigne en Angleterre le propriétaire d'un château.

Un visiteur se présente
à l'auberge

Je prends la plume pour faire le récit de mes aventures à l'Ile au Trésor à la demande de mes amis, le Squire Trelawney et le docteur Livesey. Tout ce que je vais raconter m'est arrivé il y a très longtemps.

Je m'appelle Jim Hawkins et tout a commencé quand je n'étais encore qu'un enfant et que mon père tenait l'auberge de l'Amiral Benbow. Je m'en souviens comme si c'était hier. Un grand costaud d'homme entra dans l'auberge, enfonçant pratiquement la porte. Il portait un vieil habit bleu tout taché et traînait derrière lui un grand coffre de marin. Ses mains calleuses étaient couvertes de cicatrices et ses ongles étaient noirs de crasse. Une balafre d'un blanc livide coupait une de ses joues.

Je le revois encore, inspectant les environs et sifflotant entre ses dents, puis entonnant cette vieille chanson de marin qu'il devait par la suite chanter si souvent:

"Ils étaient quinze matelots
Sur le coffre du Mort,
Ils étaient quinze, yo-ho-ho
Et une bouteille de rhum!"

Quand il eut fini sa chanson, il demanda une bouteille de rhum et se présenta. Enfin... à sa façon! Tout ce qu'il nous dit, c'est qu'on pouvait l'appeler "capitaine". Il jeta quelques pièces d'or sur la table et mon père le conduisit à sa chambre.

Le capitaine resta très longtemps chez nous. C'était un homme plutôt silencieux. Il passait ses journées à flâner le long de la baie ou assis

"Capitaine"

sur les falaises avec son télescope de cuivre. Le soir il se tenait près du feu et buvait du rhum. Chaque fois qu'il rentrait de sa promenade quotidienne il demandait si nous avions vu passer des marins. J'eus vite fait de comprendre qu'il posait cette question parce qu'il se cachait de quelqu'un ou de quelque chose.

Un jour il me prit à part et promit de me donner une pièce d'argent le premier de chaque mois si je gardais l'œil ouvert et lui signalais l'arrivée d'un certain marin à une jambe.

L'image de ce personnage effrayant hantait mes rêves et me fit passer bien des nuits sans sommeil. Par les nuits d'orage, quand le vent secouait la maison et que les vagues se brisaient à grand fracas contre les falaises, le "marin-à-une-jambe" m'apparaissait de mille façons différentes. Parfois la jambe était coupée au genou, parfois à la hanche et parfois, le marin devenait une créature monstrueuse qui n'avait qu'une seule jambe au mi-

Des rêves effrayants

lieu du corps.

Mais alors que l'idée du marin-à-une-jambe me remplissait de terreur, j'avais bien moins peur du capitaine lui-même que la plupart des clients de l'auberge. Ses histoires fantastiques les effrayaient. Il faut dire que c'étaient des récits terribles, pleins de pendaisons, de tortures et de tempêtes effroyables. Quand le capitaine racontait ses histoires, son visage tanné devenait rouge-brique et sa voix, tonitruante, éclatait comme des coups de canon. Les gens avaient peur, bien sûr, mais quand j'y repense, je crois que les histoires du capitaine donnaient à leurs vies tranquilles de campagnards, un excitant parfum d'aventure.

Le capitaine passa plusieurs mois chez nous. Après un certain temps, il n'y eut plus de pièces d'or mais mon pauvre père avait bien trop peur de lui pour lui donner congé. Tout le temps qu'il resta chez nous, le capitaine ne changea jamais de vêtements, sauf les bas. Son vieil habit bleu devint de plus en plus

Le conteur d'histoires fantastiques

rapiécé, mais ne fut jamais remplacé. Jamais il n'écrivait, jamais ne recevait de lettres, et ne parlait qu'aux habitués de l'auberge.

Le docteur Livesey venait souvent chez nous. Mon père était très malade et nous avions bien peur qu'il ne tienne pas jusqu'au printemps. D'emblée, le docteur détesta le capitaine et un soir les deux hommes s'affrontèrent.

Dans un accès de colère, le capitaine tira un coutelas de sa poche et menaça de clouer le docteur au mur.

Le docteur ne sourcilla même pas et sans le moins du monde hausser le ton, il dit avec le plus grand calme:

—Si vous ne remettez pas, immédiatement, ce couteau dans votre poche, je vous donne ma parole d'honneur que vous serez pendu pour vos méfaits.

En silence, les deux hommes se mesurèrent du regard et le capitaine s'avouant battu rentra le couteau et s'assit lourdement, grognant comme un chien qui reçoit le fouet.

La menace du capitaine

Un hiver glacial

Chapitre 2

Chien-Noir

Peu de temps après cet incident se produisit le premier de la série de mystérieux événements qui devaient finalement nous débarrasser du capitaine. L'hiver était glacial. Notre petite baie voyait passer gelées après gelées, tempêtes après tempêtes. Je sus alors que mon pauvre père n'en avait plus pour longtemps.

Un matin de janvier, froid comme les autres, un homme pâle et émacié se présenta à la porte de l'auberge. Je remarquai qu'il lui manquait deux doigts de la main gauche et qu'il parlait d'un ton tranquille mais plein d'autorité. Tout d'abord, il me demanda comment je m'appelais. Quand je répondis "Jim Hawkins", il hocha la tête comme si je lui rappelais quelque chose qu'il savait déjà.

Puis il me demanda du rhum. Quand il eut vidé son verre, il me regarda et dit:

—Viens ici, Jim. Cette table, là-bas, c'est pour mon camarade Bill?

Je répondis que je ne connaissais pas de Bill et que la seule personne qui vécut à l'auberge, en plus de ma famille, était un homme qu'on appelait le capitaine. Je fis la description du capitaine et l'homme eut un sourire de reconnaissance.

—Parbleu! C'est bel et bien mon camarade Bill. Mon petit Jim, nous allons tout simplement, toi et moi, retourner au parloir, nous cacher derrière la porte et faire une petite surprise à Bill quand il rentrera.

Tout en parlant, l'homme m'avait poussé derrière la porte de chêne et nous étions

Cachés derrière la porte du parloir

cachés là quand enfin le capitaine entra dans l'auberge de son grand pas chaloupé et claqua la porte d'entrée derrière lui. Il alla droit à la table du petit déjeuner sans jeter un regard ni à droite, ni à gauche.

—Bill! s'écria l'étranger d'une voix forte.

Le capitaine pivota sur ses talons et nous fit face. Son visage devint livide, comme celui d'un homme qui vient de voir un fantôme.

—Allons, Bill, tu me reconnais bien, n'est-ce pas? Tu n'as pas oublié ton vieux camarade? s'écria l'étranger.

Le capitaine, le souffle coupé, murmura:

—Chien-Noir!

—C'est ça! dit l'étranger avec un rire sinistre. Je crois qu'il est temps que nous ayons une petite conversation, toi et moi.

Sur ce, Chien-Noir me demanda d'apporter deux verres de rhum pour faciliter leur petite conversation, à lui et au capitaine. Quand je revins avec la boisson, ils étaient déjà installés à une table, face à face.

"Chien-Noir!"

Pendant un bon moment, même en tendant l'oreille autant que je le pouvais, je n'entendis que des chuchotements incompréhensibles. Bientôt cependant, les voix s'élevèrent et devinrent de plus en plus fortes.

Puis soudain éclata un tonnerre effroyable de jurons et d'autres bruits: table et chaises renversées, puis un bruit d'acier croisant l'acier, puis un cri strident de douleur.

Un instant après, je vis Chien-Noir fuir à toutes jambes, le capitaine lancé à sa poursuite. Les deux hommes avaient tiré leurs coutelas et déjà l'épaule de Chien-Noir était en sang. Au moment où ils atteignaient la porte, le capitaine visa Chien-Noir et lança un coup de couteau qui aurait certainement fendu son adversaire de la tête aux pieds s'il l'avait atteint, mais qui fut arrêté au passage par la grande enseigne de l'auberge de l'Amiral Benbow. On peut encore en voir la marque aujourd'hui.

Dès qu'il fut sur la route, et malgré sa

Le capitaine était étendu sur le sol.

blessure, Chien-Noir prit la course et disparut derrière un coteau. Le capitaine regardait l'enseigne avec l'absolue fixité d'un homme en proie au plus profond saisissement.

Enfin, il passa une main sur ses yeux et ordonna du rhum—Et vite!—J'étais allé chercher la bouteille quand j'entendis un bruit de chute dans le parloir. J'y courus et trouvai le capitaine étendu de tout son long sur le sol. Ma mère arriva sur ces entrefaites, dévalant les escaliers pour me venir en aide.

A nous deux, nous réussîmes à soulever le capitaine. Il respirait avec une sorte de râle, mais ses yeux étaient clos et son visage d'une pâleur livide.

—Oh mon Dieu, mon Dieu! s'écria ma mère. Quel scandale! Quelle honte pour notre maison! Et ton pauvre père qui est si malade!

Aussi, quel soulagement ce fut pour nous, quand le docteur Livesey ouvrit la porte et entra pour sa visite habituelle au chevet de mon père.

Un bras tatoué

—Oh, docteur, m'écriai-je. Qu'allons nous faire? Où est-il blessé?

Le docteur n'eut pas de mal à découvrir que le capitaine n'était pas blessé du tout. Il avait eu une attaque d'apoplexie. Le docteur releva la manche du capitaine et se prépara à faire une saignée. Le bras du capitaine était décoré de nombreux tatouages. L'un disait: "Bonne chance", l'autre: "Bon vent" et un autre encore: "Billy Bones et son caprice". C'est en voyant ce tatouage que nous comprîmes que le vrai nom du capitaine devait être Billy Bones.

Au bout d'un moment, le capitaine reprit connaissance et, avec beaucoup d'efforts, nous parvînmes à le transporter dans sa chambre du premier et à le mettre au lit. Le docteur nous avertit tous solennellement que la moindre goutte de rhum serait la mort du capitaine. Il me dit aussi, en aparté, que le vieux marin devrait garder le lit pendant au moins une semaine, sous peine de souffrir une autre attaque.

L'avertissement du docteur Livesey

Le capitaine demande du rhum.

Chapitre 3

La marque noire

Le lendemain après-midi, je remontai chez le capitaine avec des rafraîchissements et les médicaments prescrits par le médecin. Il était étendu dans son lit comme le jour d'avant. Bien que faible encore, il paraissait très agité.

—Jim, me dit-il, tu es le seul ici sur qui je puisse compter. Tu te rappelles la pièce d'argent que je t'ai donnée chaque mois depuis que je suis ici? Je ne suis pas au mieux maintenant, mais tu m'apporteras bien un verre de rhum? Hein?

J'essayai de lui expliquer ce que le docteur

nous avait dit, mais il balaya tous ces arguments d'un geste et essaya de me convaincre de son besoin désespéré d'un peu de rhum.

Plus il insistait, plus sa voix devenait forte et pensant à mon père qui avait tant besoin de tranquillité, j'acceptai de lui apporter du rhum s'il promettait de rester calme. Puis il me demanda combien de temps le docteur avait dit qu'il devait garder le lit? Quand je parlai d'une semaine, il hurla:

—Tonnerre! Une semaine! C'est plus de temps que je n'en ai. Ils me trouveront et ils m'enverront la marque noire, c'est sûr! Mais cette fois, je ne les laisserai pas me trouver, je le jure!

Disant ces mots, il essaya de se lever, mais retomba sur les oreillers, anéanti par sa faiblesse.

—Jim, dit-il, ce Chien-Noir c'est un mauvais bougre, mais il y a pire que lui qui essaie de m'avoir. Si je ne réussis pas à m'échapper, ils me flanqueront la marque noire. Tu com-

Le capitaine retombe sur ses oreillers.

prends, ce qu'ils veulent c'est mon vieux coffre. Alors, saute sur un cheval et file chez ce docteur. Dis-lui de m'envoyer à l'auberge tous les hommes qu'il trouvera. Tout l'équipage du vieux Flint sera ici. Tu vois, j'étais le second de Flint autrefois, et je suis le seul à savoir où ça se trouve. Il me l'a dit avant de mourir. Mais ne répète cela à personne, à moins qu'ils me donnent la marque noire ou alors, si tu vois rôder Chien-Noir ou l'homme à une jambe.

Je ne comprenais rien à rien de tout ce qu'il racontait. Plusieurs fois je lui demandai ce qu'était la marque noire et qui était ce Flint, mais il sombra peu à peu dans le sommeil, sans me répondre.

J'avais à peine eu le temps de réfléchir aux confidences du capitaine que mon pauvre père fut pris d'une crise et mourut subitement.

Le chagrin, les visites de nos amis et les arrangements à faire pour l'enterrement me firent oublier mon étrange conversation avec le capitaine.

Plein de pensées tristes

Les choses allèrent ainsi jusqu'au jour qui suivit les funérailles. Il était trois heures environ et je me tenais près de la porte, la tête pleine de tristes pensées de mon père quand je vis quelqu'un approcher de l'auberge. De toute évidence, l'homme était aveugle, car il tapait le sol devant lui de son bâton et portait des lunettes aux verres teintés. Il était tout courbé et portait une grande cape à capuchon, vieille et déchirée. De ma vie, je n'avais vu une créature plus effrayante. Il s'arrêta à une petite distance de l'auberge et demanda d'une voix qui chantonnait:

—N'y a-t-il pas une bonne âme pour dire à un pauvre aveugle où il se trouve? Dans quelle partie du pays?

Je répondis qu'il était à l'auberge de l'Amiral Benbow dans la baie de la Colline Noire. Il me demanda alors de le conduire à l'intérieur. Quand il saisit ma main, il la serra comme dans un étau et me tira contre lui.

—Et maintenant, mon garçon, conduis-moi

Une créature effrayante

au capitaine.

Je tentai de refuser, mais il me tordit le bras si brutalement que j'en criai de douleur. Puis, me tenant toujours d'une poigne d'acier, il me força à le conduire jusqu'au parloir où le capitaine, se sentant un peu mieux, était descendu et où il se reposait dans son fauteuil près de la cheminée.

Quand le capitaine ouvrit les yeux et aperçut l'aveugle, je vis passer dans son regard la peur et l'impuissance. Il essaya de se lever, mais ses forces le trahirent.

—Allons, Bill, reste où tu es et assieds-toi, dit l'aveugle. Même si je ne te vois pas, j'entends tout! Je t'entendrai si tu bouges un seul de tes doigts. Et toi, Jim, prends sa main gauche et place-la à côté de moi.

Le capitaine et moi nous lui obéîmes à la lettre et je le vis faire passer quelque chose de sa main dans la main du capitaine.

—Voilà qui est fait! dit l'aveugle. Il sortit lentement de l'auberge et j'entendis le tapote-

L'aveugle fait passer quelque chose.

ment de son bâton sur la route pendant qu'il s'éloignait.

Il nous fallut un certain temps, au capitaine comme à moi, pour retrouver nos esprits. Quand enfin, je lâchai son poignet, il ramena sa main vers lui et regarda dans la paume.

—A dix heures! s'écria-t-il. Voyons...il me reste donc six heures! J'ai encore le temps de leur échapper. Il sauta du fauteuil, mais cet effort le terrassa. Il mit la main à sa gorge, chancela un instant puis s'effondra lourdement sur le sol avec un bruit sourd.

Je courus à lui et appelai ma mère.

Le capitaine venait d'avoir une nouvelle attaque d'apoplexie et il était mort! Je n'avais jamais aimé cet homme, mais quand je le vis là, allongé sur le sol, j'éclatai soudain en sanglots. C'était la seconde mort que je voyais et mon cœur était encore à vif du chagrin de la première.

Une deuxième mort

Trop effrayés pour rester dans la maison

Chapitre 4

Le coffre du capitaine

Je racontai tout de suite à ma mère ce que je savais du capitaine et de ses visiteurs. Une partie de l'argent du mort—si du moins il y en avait encore—nous était sûrement due, mais je ne pouvais aller chez le docteur comme me l'avait demandé le capitaine, et laisser ma mère seule et sans protection. En fait, nous étions tous les deux bien trop effrayés pour rester dans la maison. L'image du capitaine mort sur le plancher et l'idée que l'aveugle rôdait dans les alentours attendant le moment de revenir nous remplissaient de terreur. Nous nous enfuîmes tous les deux dans le soir glacial pour demander l'aide de nos amis du village.

Quand nous arrivâmes au village, la vue des maisons avec leurs fenêtres éclairées nous fut un réconfort immédiat. Bientôt suivi, hélas, d'une grande déception car personne ne voulut revenir avec nous. Dès que je racontais mon histoire les gens, pris de peur, se détournaient de nous. Le nom du capitaine Flint était bien connu d'eux et il courait pas mal d'histoires sur lui et son équipage parlant de leurs actes de cruauté.

Quand tous eurent refusé de nous raccompagner à l'auberge, ma mère fit preuve d'un grand courage et, se dressant devant eux, elle déclara qu'elle n'allait pas abandonner la partie et perdre l'argent qui revenait de droit à son pauvre fils orphelin de père.

—Puisque aucun d'entre vous n'ose venir, Jim et moi nous irons tout seuls, leur dit-elle. Et je n'ai pas grands remerciements à vous faire! Tout grands et costauds que vous êtes,

Pas d'aide à attendre des gens du village

vous n'êtes que des poules mouillées! C'est égal! Jim et moi nous ouvrirons le coffre, même s'il nous en coûte la vie.

Sur le chemin du retour, seul avec ma mère dans la nuit glaciale, la peur faisait battre mon cœur à tout rompre.

Nous glissions rapidement le long des haies, faisant le moins de bruit possible. Mais rien n'arriva et nous fûmes bientôt dans l'auberge, sains et saufs.

Mon premier geste fut de pousser le verrou et pendant un moment nous restâmes dans l'obscurité essayant de reprendre haleine. Nous étions seuls dans la maison avec le cadavre du capitaine. Enfin ma mère alluma une chandelle, et nous tenant par la main, nous entrâmes dans le parloir. Le mort était comme nous l'avions laissé, étendu sur le dos, les yeux grands ouverts et un bras étendu.

—Ferme les rideaux, Jim, murmura ma mère. Il faut trouver la clef du coffre qu'il a sûrement sur lui. Elle doit être là, quelque part.

Seuls avec le mort

Je m'agenouillai à côté de lui et sur le sol, à côté de sa main, je trouvai un petit bout de papier rond, noirci d'un côté. Ce devait être "la marque noire". Au verso, il y avait ce message: "TU AS JUSQU'A CE SOIR, DIX HEURES."

Je regardai l'horloge sur le mur. Il était presque six heures. Il nous restait donc quatre heures.

Je fouillai les poches du mort, mais j'y trouvai seulement quelques pièces de monnaie et des bouts de tabac à chiquer.

—Elle est peut-être suspendue à son cou, suggéra ma mère.

Je fermai les yeux quand j'ouvris sa chemise mais elle était là, en effet, suspendue à un bout de ficelle: une petite clef d'argent. Je coupai la ficelle et nous courûmes à l'étage pour ouvrir le coffre.

L'extérieur du coffre était semblable à n'importe quel coffre de marin. Le couvercle avait été marqué au fer rouge de l'initiale "B" et les coins étaient usés et écrasés. Nous fîmes tour-

L'ouverture du coffre

ner la clef dans la serrure et ouvrîmes le coffre.

Une forte odeur de tabac montait de l'intérieur. Nous vidâmes le contenu, couche par couche. Il y avait des vêtements, des pistolets, une montre espagnole, une boussole et quelques bijoux de pacotille. Mais tout au fond, nous trouvâmes un rouleau de papiers dans un sac de toile cirée et une bourse pleine de pièces d'or.

—Je vais montrer à ces gredins que je suis une honnête femme, dit ma mère.

—Je prendrai ce qu'il nous doit et pas un sou de plus.

Elle se mit à compter les pièces d'or essayant d'arriver au total de la note du capitaine. Mais c'était difficile: les pièces venaient de pays différents et nous ne savions ni l'un ni l'autre quelle était leur valeur exacte. Nous étions arrivés à peu près à la moitié de la somme quand on entendit le tap-tap-tap du bâton de l'aveugle sur le sol gelé de la route. Je pressai ma mère de prendre l'argent et de nous enfuir au plus vite. Mais malgré sa peur, ma mère hésitait à pren-

En fuite, avec le sac de toile cirée

dre un sou de plus que notre dû. Cependant, quand elle entendit les pas qui approchaient de plus en plus, elle décida de prendre seulement la somme que nous avions déjà comptée. Quant à moi, je pris le rouleau de papiers dans le sac de toile cirée et nous quittâmes l'auberge par la porte de derrière.

A peine étions-nous sortis que nous entendîmes un groupe d'hommes qui frappaient à la porte d'entrée. Nous nous mîmes à courir.

—Mon cher enfant, me dit-elle, prends l'argent et les papiers et sauve-toi. Je crois que je vais défaillir.

Je refusai de l'abandonner. Je me dis que c'était la fin pour ma mère et pour moi. Tant bien que mal, nous arrivâmes jusqu'au petit pont de bois et je l'aidai à traverser. A peine arrivée de l'autre côté, ma mère s'évanouit. Je réussis à la traîner jusqu'à un endroit où nous pourrions nous cacher, mais assez près pour entendre ce qui se passait dans l'auberge.

Jim aide sa mère à traverser le pont.

Des hommes cognaient à la porte.

Chapitre 5

La fin de l'aveugle

Ma curiosité était encore plus forte que ma peur et, rampant dans l'herbe, je réussis à m'approcher de l'auberge, assez près pour voir et entendre ce qui s'y passait.

Il y avait là sept ou huit hommes qui martelaient de leurs poings la lourde porte de chêne. Malgré le brouillard, j'aperçus l'aveugle et j'entendis sa voix quand il ordonna d'enfoncer la porte. Les hommes lui obéirent et, en un instant, la porte fut arrachée de ses gonds.

Ils étaient maintenant à l'intérieur et j'entendis l'un d'eux s'exclamer, annonçant que

Bill était mort.

—Fouille-le et trouve le coffre, cria l'aveugle.

Quelques secondes après, la fenêtre de la chambre du capitaine fut fracassée par un homme de la troupe qui se pencha au-dehors et annonça que quelqu'un avait déjà ouvert le coffre.

—L'argent est toujours là! cria quelqu'un.

—Au diable l'argent! cria l'aveugle en retour. Le sac de Flint est-il toujours là?

Il était clair que l'argent du capitaine n'intéressait pas l'aveugle. Ce qu'il voulait, c'était le rouleau de papiers que je tenais à ce moment même serré contre mon cœur.

Quand les hommes eurent fini leur fouille et conclurent que les papiers avaient disparu, l'aveugle leur ordonna de se lancer à notre recherche. Il savait que nous avions pris ce qu'il voulait. Mais les hommes étaient las et en avaient assez. L'or trouvé dans le coffre avait satisfait leur cupidité et ils n'avaient plus

"Le sac de Flint est-il toujours là?"

envie d'obéir aux ordres de l'aveugle.

Bientôt une querelle éclata. Les hommes commencèrent par se menacer les uns les autres, puis ils se retournèrent contre l'aveugle.

Cette querelle nous sauva, ma mère et moi. Alors que la bagarre faisait rage, un autre bruit se fit entendre qui venait du haut de la colline: le bruit de chevaux au galop qui approchaient par ici. Puis il y eut un coup de pistolet, autre signal de danger. Aussitôt qu'ils entendirent la détonation, les hommes se dispersèrent dans toutes les directions. Il ne resta plus bientôt que l'aveugle, tapant frénétiquement la route de son bâton, appelant les autres.

Il se trompa de chemin et commença à marcher droit dans la direction des chevaux. Quand il s'en rendit compte, il poussa un cri et fit volte-face, mais courut vers un fossé dans lequel il tomba. Il se releva, mais ce fut pour se jeter sous les sabots des chevaux au galop

Le cheval renversa l'aveugle.

qui étaient alors arrivés à sa hauteur. Il s'abattit avec un cri strident qui résonna dans la nuit et les durs sabots le martelèrent à mort.

Je sautai sur mes pieds et fis signe aux cavaliers.

C'étaient des hommes qui avaient entendu parler au village des dangers que nous courions et avaient décidé de venir à notre secours. Ma mère reprit connaissance, mais l'aveugle était bien mort!

Nous retournâmes tous à l'auberge qui avait été mise à sac et pratiquement détruite par les hommes de l'aveugle. Cette fouille destructrice, cette recherche désespérée du sac de Flint me firent comprendre la grande valeur des papiers que j'avais en ma possession. Je demandais à mes sauveteurs s'ils voulaient bien m'accompagner chez le docteur Livesey. Ils semblèrent comprendre l'urgence de ma demande et nous partîmes aussitôt.

L'auberge avait été mise à sac.

Jim arrive à la porte du docteur Livesey.

Chapitre 6

Les papiers du capitaine

Conduisant nos chevaux à bride abattue, nous arrivâmes à la demeure du docteur Livesey. Il n'y avait aucune lumière dans la maison, mais je frappai quand même à la porte.

Une servante vint ouvrir, me fit entrer et me conduisit auprès du docteur. Je lui racontai aussitôt tout ce qui était arrivé. Le docteur apprécia le grand courage de ma mère et me fit compliment pour l'intelligence de mes actions. Son ami le Squire Trelawney qui était avec lui me félicita aussi. Ils demandèrent à la servante de m'apporter quelque chose de chaud à manger et à boire.

Quand j'eus fini, le docteur me demanda si j'avais toujours les papiers sur moi.

Je l'assurai que oui et lui tendis le sac de toile cirée.

—Dites-moi, Squire, dit le docteur à son ami, vous avez entendu parler de ce Flint?

—Si j'ai entendu parler de ce Flint? Ah! Et comment! C'était le boucanier le plus sanguinaire qui ait jamais couru les mers. Barbe-Noire n'était qu'un enfant en comparaison!

—Oui, j'ai entendu parler de cela, moi aussi, répondit le docteur. Mais avait-il de l'argent?

—De l'argent! s'écria le Squire. Bien sûr qu'il avait de l'argent! Qu'est-ce que ces bandits recherchaient, sinon de l'argent?

Le docteur ouvrit le sac de Flint et sortit le rouleau de papiers, se doutant bien qu'il y aurait là des renseignements qui pouvaient mener au trésor de Flint. Il me demanda si je les autorisais à lire ces papiers, ce à quoi j'ac-

Ces brigands cherchaient de l'argent!

quiesçai immédiatement. Ma curiosité était encore plus forte que la leur et il me tardait de voir le contenu.

Le paquet contenait un petit livre de comptes qui rapportait les exploits du capitaine et les sommes d'argent et les bijoux qu'il avait ramassés à chaque fois. Il y avait aussi un papier scellé en plusieurs endroits à la cire.

Le docteur brisa les cachets avec le plus grand soin et le plan d'une île apparut. Il y avait là, soigneusement inscrits, tous les détails permettant à un navire d'y mouiller sans encombre. L'île mesurait neuf milles de long sur cinq de large environ, et avait la forme générale d'un dragon ventru. Une colline était marquée au centre, avec le nom "La Longue-Vue" inscrit en dessous. Il y avait aussi trois croix dessinées à l'encre rouge sous lesquelles on pouvait lire: ICI, LE GROS DU TRESOR. Au dos de la carte il y avait toutes les indications nécessaires pour trouver le site exact du trésor.

La carte d'une île!

L'ILE AU TRESOR

Le docteur Livesey et le Squire étaient bouillonnants d'enthousiasme.

—Livesey, dit le Squire, vous allez abandonner votre cabinet médical tout de suite.

Demain, je pars pour Bristol. En moins de trois semaines nous aurons à notre disposition le plus beau navire et le meilleur équipage d'Angleterre. Hawkins sera notre mousse. Vous serez le médecin de bord et je serai l'amiral. Nous prendrons avec nous nos bons et dévoués amis: Redruth, Joyce et Hunter. Nous mettrons à la voile, nous trouverons le trésor et nous serons riches pour le restant de nos jours!

Le docteur Livesey accepta tout de suite mais il recommanda au Squire Trelawney de garder le plus profond secret. Les hommes qui avaient attaqué l'auberge n'allaient pas disparaître comme par miracle. S'ils avaient vent de notre secret, nous étions morts! Le Squire acquiesça de la tête et monta dans sa chambre pour préparer son voyage à Bristol.

"Nous serons riches!"

Jim lit la lettre du Squire.

Chapitre 7

Le voyage à Bristol

Les préparatifs de notre voyage en mer prirent plus longtemps que nous n'avions prévu. Pendant toute cette période, je vécus dans la maison du docteur, confié aux bons soins de Redruth, l'ami, mais aussi le garde-chasse du docteur. Après plusieurs semaines, une lettre du Squire arriva enfin.

Sa lettre débordait d'excitation. Il avait trouvé un voilier, qui s'appelait l'*Hispaniola* et qui, d'après lui, était fin prêt pour la traversée. Il expliquait ensuite que, par un pur accident du hasard, il avait rencontré un vieux loup de mer qui n'avait qu'une jambe. Ce marin avait été cuisinier à bord de plusieurs navires et voulait reprendre la mer.

Il avait promis au Squire de lui assembler le meilleur équipage d'Angleterre.

Trelawney avait été complètement séduit par cet homme qui s'appelait John Silver ou plutôt Grand-John Silver. Il nous assura que l'homme était honnête, dur à la tâche et très intelligent. Il était propriétaire d'une taverne en ville et avait une certaine aisance financière.

La lettre me remplit de joie, d'espoir et de rêves d'aventures. Nous décidâmes de partir pour Bristol le lendemain. Aussi, sans perdre un moment, je courus dire au revoir à ma mère qui s'occupait maintenant seule de l'auberge et s'en accommodait le mieux du monde.

Cette nuit-là, j'eus bien du mal à trouver le sommeil tant ma tête était pleine de rêves d'extraordinaires aventures en mer.

Rêves d'extraordinaires aventures en mer

Jim voit des bateaux de toutes sortes.

Chapitre 8

A l'enseigne de "La Longue-Vue"

Le voyage à Bristol fut long et monotone. A mon arrivée, Squire Trelawney m'accueillit et m'entraîna aussitôt dans une promenade sur le port. Ensemble, nous parcourûmes les docks et, à ma grande joie, je vis maints navires de toutes tailles et de toutes sortes. Ici, un équipage chantait en travaillant; là, je vis des matelots qui grimpaient tout en haut de mâts qui ne me parurent pas plus épais que des fils de toile d'araignée. J'avais passé toute ma vie sur la côte et pourtant, il me semblait que je voyais la mer pour la première fois.

L'ILE AU TRESOR

Quand nous eûmes terminé notre petit déjeuner, le Squire me confia un mot adressé à John Silver. Il tenait une taverne appelée "La Longue-Vue" et je devais m'y rendre et lui remettre le billet.

Je trouvai l'endroit sans difficulté. L'établissement, fraîchement repeint, était gai et clair. Les fenêtres étaient joliment garnies de rideaux rouges et le plancher proprement sablé. Comme j'attendais là, hésitant avant d'entrer, un homme sortit d'une pièce de côté et je sus aussitôt que c'était John Silver. Sa jambe gauche était coupée au niveau de la hanche et il s'appuyait sur une béquille logée sous l'aisselle de son bras gauche. Malgré son handicap, il avait l'air de se déplacer avec la plus grande aisance. Il était grand et bien bâti, avec un visage aussi large qu'un jambon. Sa mine plaisante pétillait d'intelligence. D'humeur joviale, il sifflotait en passant entre les tables.

Je n'avais pas oublié ce que le capitaine Bill m'avait raconté autrefois à l'auberge. Plus que

Grand-John Silver

tout, il avait semblé craindre un certain "marin-à-une-jambe" et je me souvenais qu'il m'avait même payé pour surveiller son arrivée.

Mais un coup d'œil sur cet homme suffit à me rassurer. J'avais vu Chien-Noir et Pew l'aveugle, je savais à quoi ressemblait un pirate et Grand-John ne leur ressemblait pas du tout!

Aussi, je rassemblai mon courage, passai le seuil et allai droit vers lui. Quand je me présentai, il confirma ce que j'avais deviné: il était, en effet, Grand-John Silver. Nous nous serrâmes la main.

Juste à ce moment, un des clients qui était assis au fond de la salle se leva brusquement et s'enfuit vers la porte. Sa hâte avait attiré mon attention et je le reconnus immédiatement: C'était Chien-Noir!

—Arrêtez-le! Arrêtez-le! dis-je. C'est Chien-Noir!

Grand-John envoya un de ses hommes à sa poursuite. J'expliquai à Silver que Chien-Noir

Jim reconnaît Chien-Noir.

était un des pirates qui étaient venus à notre auberge quelque temps auparavant. Le visage de Grand-John prit un air grave et offensé.

—Par exemple! Un pirate...ici, dans mon auberge! Et avec un nom pareil, en plus! Chien-Noir! Par exemple...

Tout en parlant, Grand-John arpentait la salle, sautillant sur sa béquille, tapant de grands coups sur les tables en passant. Il donnait le spectacle de quelqu'un si profondément scandalisé qu'il aurait convaincu un juge. Mes soupçons avaient été réveillés par la présence de Chien-Noir dans la taverne, mais la réaction de Grand-John me convainquit qu'il ne l'avait jamais vu.

Il me félicita pour mes yeux perçants et la vivacité avec laquelle j'avais reconnu le gredin, puis il s'assit pour prendre un verre de rhum. J'éprouvai pour Grand-John une sympathie immédiate. Il semblait avoir un excellent sens de l'humour et un esprit aventureux.

Après l'incident avec Chien-Noir, nous quit-

Grand-John parle à Jim des bateaux.

tâmes l'auberge et retournâmes au bateau. En chemin, il me donna toutes sortes de renseignements sur les navires que nous passions: leur gréement, leur voilure, leur tonnage, leur nationalité. Il me raconta des anecdotes amusantes et des plaisanteries qu'il avait entendues pendant ses voyages en mer. Peu à peu, je me convainquis qu'on ne pouvait souhaiter un meilleur compagnon de voyage.

Quand nous arrivâmes au bateau, le docteur Livesey et le Squire nous accueillirent chaleureusement. Grand-John leur raconta toute l'histoire avec beaucoup d'animation et la plus grande exactitude.

—C'est bien comme cela que c'est arrivé, n'est-ce pas Hawkins? demandait-il de temps en temps.

Nous regrettâmes tous que ce brigand de Chien-Noir nous ait échappé, mais le Squire nous rendit tout notre enthousiasme en annonçant la bonne nouvelle: tout était prêt pour la traversée et demain , nous lèverions l'ancre.

Les bonnes nouvelles du Squire!

Le capitaine Smollett a des inquiétudes.

Chapitre 9

Le capitaine et son équipage

Quand notre conversation fut terminée, le Squire et le docteur me présentèrent à l'équipage.

Le capitaine s'appelait Smollett et son second était un vieux marin à la peau tannée qui s'appelait Arrow.

Nous étions à peine rentrés dans la cabine qu'on frappa à la porte. C'était le capitaine Smollett. Il venait parler au Squire des doutes qu'il éprouvait quant à l'équipage et à notre voyage.

—J'avais cru comprendre que notre expédition était secrète, dit Smollett, et maintenant je découvre que tout l'équipage parle d'une chasse au trésor. Vous comprenez, la recherche d'un trésor est un travail hasardeux. Je n'aime pas les voyages de chasse au trésor, surtout si les rumeurs se répandent comme feu de broussailles. Il y a même certains matelots qui parlent d'une carte avec des croix rouges montrant exactement où est caché le trésor.

Le Squire et le docteur échangèrent des regards inquiets. Ils n'avaient parlé de la carte à personne. Et pourtant, il y avait eu une fuite et le secret n'en était plus un.

Le docteur Livesey se gratta la tête et demanda au capitaine s'il avait d'autres soucis et ce qu'il pensait faire pour y remédier.

—Eh bien, répondit Smollett, cet équipage ne me revient pas du tout, particulièrement Arrow. Il boit trop et il est trop familier avec les matelots. Un second doit garder ses distances. Ce qui me tracasse le plus dans tout cela, c'est le sentiment que je ne peux pas faire

Le secret est connu de tous.

confiance à mon propre équipage.

"Je vous demande seulement de faire trois choses avant le départ. Je vous supplie de cacher cette carte soigneusement et d'en garder le secret le plus absolu, même vis-à-vis de moi. Premier point. L'équipage est en ce moment même occupé à charger la poudre et les mousquets dans la cale avant et je suggère de les charger dans la cale arrière, sous votre cabine. Deuxième point. Et puisque vous emmenez quatre hommes de confiance avec vous, je vous conseille de les garder près de vous, dans les couchettes autour de votre cabine, au lieu de les loger avec l'équipage. C'est mon troisième point."

Le docteur approuva immédiatement les suggestions de Smollett, mais le Squire, qui n'aimait pas le capitaine, n'accepta ces changements que pour satisfaire le docteur et commencer le voyage en paix.

Les trois demandes du capitaine

"Yo-ho-ho, et une bouteille de rhum!"

Chapitre 10

Le voyage

La nuit se passa dans un grand branle-bas, à finir les rangements et à dire adieu à tous les amis du Squire.

Un peu avant le jour, le maître d'équipage prit son fifre et donna le signal aux matelots de prendre leur poste sur le pont. Comme nous larguions les amarres, l'un des matelots demanda à Grand-John—qu'ils appelaient tous "le cuistot", puisqu'il était le cuisinier du bord—de chanter une chanson. Sans se faire prier, il entonna le refrain que je connaissais si bien:

L'ILE AU TRESOR

"Ils étaient quinze matelots
Sur le coffre du mort..."
Puis tout l'équipage reprit en chœur:
"Quinze matelots, yo-ho-ho
Et une bouteille de rhum!"

Malgré l'excitation du moment, je ne pus m'empêcher de repenser à l'auberge de l'Amiral Benbow et il me sembla entendre la voix du capitaine Billy Bones dans le chœur des matelots de l'équipage.

Je ne vais pas raconter notre traversée en détail! Ce fut un voyage assez heureux et sans histoires. L'*Hispaniola* était un fin voilier, l'équipage avait l'habitude de la mer et le capitaine connaissait son métier. Mais avant d'arriver à l'Ile au Trésor, deux ou trois événements se produisirent qui méritent d'être racontés car ils ont leur importance pour la suite de mon histoire.

Monsieur Arrow se révéla encore pire que le capitaine l'avait pressenti. Il n'avait aucune autorité sur les hommes et ils faisaient ce

Arrow avait trop bu.

qu'ils voulaient de lui. Au bout d'un jour ou deux en mer, il commença à paraître sur le pont dans un état alarmant: yeux vitreux, joues écarlates et la langue épaisse. Il était clair qu'il était ivre. Nous n'arrivions pas à comprendre où il se procurait le rhum. Nous avions, bien sûr, établi clairement dès le départ qu'il n'y aurait consommation ni de rhum, ni d'alcool à bord. Malgré toute notre vigilance nous ne pûmes rien découvrir.

Non seulement Arrow était inutile comme officier et un exemple déplorable pour les hommes, mais à ce train, il était clair qu'il n'allait pas manquer de se tuer. Aussi personne ne fut trop surpris, ou trop fâché, quand une nuit de grosse mer il disparut complètement.

Grand-John jouissait d'un grand respect parmi l'équipage. Il me montrait toujours la plus grande amabilité et était toujours heureux quand je passais un moment avec lui à la cuisine pour bavarder.

—Viens ici, Hawkins, disait-il, viens ici

Voilà capitaine Flint, le perroquet

tailler une bavette avec John Silver. Tu es toujours le bienvenu dans ma cambuse, fiston! Regarde, voilà capitaine Flint- c'est le nom que j'ai donné à mon perroquet, d'après le fameux pirate- voilà capitaine Flint qui nous prédit un heureux voyage.

Et le perroquet répétait: " Pièces de huit!... Pièces de huit!" tant et tant que je m'étonnai qu'il ne soit pas hors d'haleine.

Nous eûmes un peu de mauvais temps pendant la traversée, mais en approchant de notre destination, la mer devint calme et la brise régulière. L'*Hispaniola* faisait route à bonne vitesse, piquant de temps en temps son avant dans la lame et se redressant dans une gerbe d'écume.

Ce soir là, mon travail achevé, alors que je m'apprêtais à regagner ma couchette, j'eus soudain envie d'une pomme. Le Squire avait en effet stocké plusieurs tonneaux de pommes sur le navire, pensant que ces fruits feraient le plus grand bien aux hommes de l'équipage.

Un coup d'œil dans le tonneau aux pommes

L'ILE AU TRESOR

Quand je regardai au fond du tonneau, c'était si sombre que je ne pouvais voir s'il y restait des pommes. Alors, je grimpai à l'intérieur et m'assis au fond pour manger. Là, dans le noir, avec le bruit des vagues et le bercement du roulis, je m'assoupis un peu et je n'étais pas loin de dormir profondément quand je sentis un homme qui devait être lourd s'asseoir à côté du tonneau qu'il ébranla quand il y appuya ses épaules. J'allais dire quelque chose quand l'homme commença à parler. C'était John Silver. Et ce que j'entendis était si grave, qu'après une douzaine de mots je ne me serais pas fait connaître pour un empire. Je restai donc tapi dans le tonneau, tremblant de curiosité et de peur. J'eus vite fait de comprendre que la vie de tous les gens honnêtes qui se trouvaient à bord dépendait de moi et de ce que j'entendais.

Des paroles effrayantes!

Grand-John révèle son passé.

Chapitre 11

Ce que j'entendis
dans le tonneau aux pommes

—Non, non, pas moi, disait Silver. Flint était le capitaine. J'étais son quartier-maître à cause de ma jambe de bois. J'ai perdu ma jambe le même jour où Pew a eu ses yeux brûlés. Quel voyage, mes amis, quel voyage que celui-là!

—Ah! s'écria une autre voix. Le capitaine Flint, c'était le plus grand de tous!

—Nous étions la plus rude équipe de coureurs de mer! Et l'or que nous avons ramassé pendant ces voyages? Plein! Croyez-moi! C'est comme ça que j'ai pu acheter ma petite taverne et attendre patiemment le moment propice pour trouver le reste du trésor de Flint.

D'après ce que Silver disait à son camarade, Israël Hands, il me fut aisé de conclure qu'il avait connu le but de notre voyage dès le départ. En fait, il était clair que Silver avait navigué en pirate avec le capitaine Flint lui-même. Et maintenant, il incitait l'équipage de l'*Hispaniola*, un par un, à devenir de misérables pirates comme lui.

—Ce que je veux savoir, dit Israël Hands, c'est pendant combien de temps nous allons patiemment attendre. J'en ai par-dessus la tête de Smollett. Je veux prendre leur cabine d'assaut. Je veux leur fine nourriture et leur vin. Je veux qu'ils sachent à qui ils ont vraiment affaire.

—Je donnerai le signal, répondit Silver. Mais ce ne sera pas avant le tout dernier moment. Le capitaine Smollett est un marin de

Israël Hands est impatient d'attaquer.

première classe et nous allons le laisser s'occuper de la navigation pour nous. Le Squire et le docteur ont la carte et je ne sais pas où elle est. Alors on va les laisser trouver le trésor pour nous et après, au bon moment, nous les liquiderons. Comme disait mon ami Billy Bones: "les morts ne mordent pas".

Je tremblais de peur. J'avais tout entendu, mais je pouvais à peine en croire mes oreilles. C'est alors qu'un faisceau de lumière tomba sur moi. Levant les yeux, je vis que la lune s'était levée et illuminait le mât de misaine. J'entendis une voix qui criait:

—Terre! . . .

La lune brillait.

"Terre!"

Chapitre 12

Conseil de guerre

Dès que la nouvelle se répandit que la terre était en vue, il y eut un grand bruit de pas sur le pont. Quand enfin Grand-John et son ami furent hors de vue, je me glissai hors du tonneau de pommes et me sauvai.

Tout le monde était rassemblé sur le pont du gaillard d'avant et chacun parlait et gesticulait avec animation. Pour moi, j'avais l'impression de flotter, encore sous le choc de ce que j'avais entendu.

Quand le capitaine Smollett monta sur le pont, il tenait à la main une carte de l'île.

L'ILE AU TRESOR

Quand Grand-John vit le papier, les yeux manquèrent de lui sortir de la tête, mais je savais que ce n'était pas ce qu'il espérait. Je pouvais voir, à l'aspect neuf du papier, que ce n'était pas la carte que nous avions trouvée dans le coffre de Billy Bones. C'en était une copie exacte, mais sans les croix rouges qui montraient l'emplacement du trésor. John Silver fut assez malin pour cacher sa déception.

En fait, Grand-John se comportait d'une façon si calme et si détachée que je ne pouvais m'empêcher d'admirer l'habileté avec laquelle il dissimulait ses sentiments. Je frémis de terreur quand il regarda de mon côté.

Je rejoignis le docteur et je lui dis que j'avais des nouvelles importantes et très inquiétantes. Le docteur fit un signe de tête et se dirigea vers sa cabine. En chemin, il alerta le capitaine Smollett et le Squire Trelawney et quand j'arrivai à mon tour, les trois hommes m'attendaient pour entendre ce que j'avais à dire.

Brièvement, je mis mes amis au courant de

Grand-John voit la carte.

ce que j'avais entendu caché dans le tonneau. Quand j'eus terminé mon récit, ils restèrent silencieux un moment.

—Capitaine, dit le Squire, je vois maintenant que vous aviez raison en tout, dès le départ, et que je me suis comporté comme un âne en ne vous écoutant pas.

—Croyez-moi, dit le capitaine, je n'ai jamais vu un équipage plus sournois que celui-ci. Ils veulent se mutiner mais rien n'a transpiré jusqu'à présent. Quelle habileté! Ce John Silver est un homme remarquable!

—Il serait encore plus remarquable s'il était pendu comme il le mérite, ajouta le docteur.

Nous priâmes le capitaine de nous donner son avis. Nous n'avions aucun moyen de savoir qui nous était fidèle et qui était pour Silver.

Comme il était trop tard pour reculer, il ne nous restait plus qu'à être très prudents et attendre le meilleur moment pour agir.

Le capitaine soupçonne une mutinerie.

L'île paraît sombre et mélancolique.

Chapitre 13

Le commencement
de mes aventures à terre

Le lendemain matin enfin, je vis l'île. Elle était couverte d'une forêt de couleur grisâtre et je pouvais distinguer des bandes de terre jaune entre les arbres. Du sable, probablement. Des collines dominaient les bois alentour et leurs sommets de roc nu se détachaient sur le ciel en pointes aiguës.

L'île avait un aspect désolé et mélancolique. Quand le bateau s'approcha du rivage, les oiseaux vinrent voleter au-dessus de nos têtes et les vagues, très fortes, balayèrent le pont.

L'ILE AU TRESOR

Les préparatifs pour le mouillage du navire et le débarquement représentaient un gros travail qui prendrait toute la matinée.

Il n'y avait pas un souffle de vent, donc il fallait armer les chaloupes pour amener le navire au mouillage. Je me portai volontaire pour travailler dans les canots. La chaleur était étouffante et les hommes grommelaient, furieux d'avoir à travailler dans ces conditions. Les matelots commençaient à se révéler et à montrer leurs véritables intentions. Il y avait de la mutinerie dans l'air. Ils n'accomplissaient plus leurs tâches avec la gaieté habituelle et je sentais un courant de colère et de ressentiment. Je compris que, d'ici peu, ils se retourneraient contre nous et que c'était John Silver maintenant qui avait l'initiative.

Le capitaine Smollett se rendit compte de ce qui se passait et, quand le navire fut à l'ancre, il donna aux hommes la permission de se rendre à terre. Cela lui donnerait le temps, ainsi qu'au docteur et au Squire, d'établir une

Jim va à terre avec les matelots.

stratégie de défense.

Je décidai d'aller à terre avec l'équipage. Je me glissai dans une des chaloupes et je m'assis tranquillement à l'avant.

John Silver, qui était dans l'autre chaloupe, ne manqua pas, lui, de me voir et regardant dans ma direction s'écria:

—Hawkins, est-ce que c'est toi?

Ceci me fit regretter mon action impulsive.

L'équipage des chaloupes faisait la course à qui arriverait le premier à terre. Celle où je me trouvais était largement en tête. Quand on approcha du rivage, la chaloupe passa sous des branches qui pendaient au-dessus de l'eau. J'en saisis une, me soulevai hors du bateau et atterris sur le rivage. Je pris la course pour aller me cacher dans les broussailles.

Grand-John appelait mon nom, ce qui me donna encore plus envie de courir. Ce que je fis, jusqu'à ce que je sois hors de portée de vue des chaloupes.

Grand-John aperçoit Jim dans la chaloupe.

Un serpent se faufile dans les buissons.

Chapitre 14

John Silver frappe
le premier coup

J'étais si content d'avoir échappé à John Silver que je commençai à apprécier les circonstances de mon aventure et à regarder autour de moi avec plaisir, découvrant cette île étrange.

Je traversai d'abord un marécage, planté de saules et d'autres arbres des régions humides et j'arrivai ensuite dans une clairière sablonneuse d'un mille de long environ. J'examinai les petites plantes à fleurs qui y poussaient et je vis des serpents se faufiler dans le feuillage.

Soudain, j'entendis des voix et me cachai sous un chêne, tendant l'oreille pour entendre ce qui se disait.

Je reconnus immédiatement la voix de Silver. Il parlait à l'un des hommes de l'équipage. Celui-ci n'avait pas l'air d'être au courant du plan de mutinerie et quand Grand-John le lui expliqua, le matelot répondit avec colère:

—Je vous croyais un honnête homme, Silver. La mutinerie, ce n'est pas pour moi. Je suis un honnête marin.

A ce moment, un cri de colère résonna du côté de la colline, bientôt suivi d'un long, d'un horrible hurlement de douleur.

—Qu'est-ce que c'était que ça? s'écria le matelot.

—Ça, camarade, répliqua Silver avec un sourire sinistre, c'était le dernier cri qu'a poussé votre ami Joseph, un autre marin honnête. Lui non plus ne voulait pas faire partie de mon plan.

—Joseph? cria le matelot. Que Dieu ait son âme! Quant à vous, John Silver, vous n'êtes pas

Jim surprend la menace de Grand-John.

de mes amis et même si je dois mourir comme un chien, au moins je mourrai en faisant mon devoir. Tuez-moi si vous le pouvez, je vous en défie!

Là-dessus, ce brave homme tourna le dos à Silver et se dirigea vers la plage. Il n'alla pas très loin. Avec un cri de rage, Silver saisit une branche d'arbre au-dessus de lui pour se soutenir, arracha la béquille de sous son aisselle gauche et la lança comme il l'aurait fait d'un javelot. Cette arme improvisée frappa le pauvre homme au milieu du dos avec une force inouïe. Le malheureux leva les bras et tomba lourdement sur le sol.

Je ne pouvais dire à quel point il était blessé mais, aux gémissements qu'il poussait, je devinai que son dos était brisé. Il n'eut pas le temps de se remettre. En un instant, Silver bondit sur lui et plongea son couteau dans le corps de l'homme à terre. De ma cachette, je l'entendis haleter tandis qu'il poignardait le matelot.

Je me sentis défaillir et je sus que j'allai

Grand-John lance sa béquille.

m'évanouir. Je perdis connaissance pendant quelques secondes. Les cris des oiseaux au-dessus de ma tête me firent revenir à moi. Je vis ce monstre, John Silver, remettre son chapeau sur la tête comme si rien ne s'était passé et nettoyer son couteau avant de le ranger.

Grand-John enjamba le corps de sa pauvre victime, sortit un sifflet de sa poche et donna trois coups stridents qui résonnèrent dans les airs. Il appelait ses hommes. Ils avaient déjà tué deux matelots et je ne pus m'empêcher de penser que j'étais sans doute leur prochaine victime.

Le cœur battant, je courus sans bruit dans les fourrés. Je ne savais pas où j'allais; je savais seulement que je devais me sauver. Ma terreur était telle que je pouvais entendre les battements de mon cœur et sentir la sueur froide qui coulait dans mon cou.

Je pénétrai bientôt dans un bosquet de pins et là, je vis une chose qui m'arrêta court et me fit rester immobile comme une statue.

Jim s'enfuit.

Est-ce un homme ou une bête?

Chapitre 15

L'habitant de l'Ile Au Trésor.

Sous les pins, je vis une silhouette s'esquiver d'un bond derrière un arbre. Je n'étais pas sûr de ce que c'était: homme ou bête? Tout ce que j'avais vu, c'était que la créature était noire et velue. Je savais aussi qu'aucune bête sauvage ne pouvait être pire que John Silver.

Je restai complètement immobile et je n'essayai ni de me cacher, ni de fuir. La créature velue sortit de sa cachette derrière l'arbre et tendit les mains vers moi. Je vis aussitôt que ce pauvre être couvert de poils et de haillons était bel et bien un homme.

—Qui êtes-vous? demandai-je.

—Ben Gunn, répondit-il d'une voix enrouée et comme rouillée. Je suis le pauvre Ben Gunn et je n'ai parlé à âme qui vive depuis trois ans.

Je pouvais voir maintenant que l'homme était un Anglais comme moi. Sa peau, là où elle était restée sans protection, avait été brûlée par le soleil. Il était vêtu des haillons les plus invraisemblables que j'eusse jamais vus. C'étaient, en fait, les lambeaux d'une voile de navire retenus à la taille par une vieille ceinture à boucle de cuivre.

—Trois ans! m'écriai-je. Avez-vous fait naufrage?

—Non, dit-il. J'ai été abandonné à terre.

Je connaissais cette expression. Je savais qu'elle décrivait un horrible sévice pratiqué par les pirates, qui abandonnaient littéralement un des leurs sur une île déserte et isolée de tout. Ils ne donnaient à l'infortuné ni vivres, ni eau et la plupart des hommes dans cette situation ne survivaient pas.

Ben Gunn, le marin abandonné sur l'île

Mais le vieux Ben Gunn était un homme habile.

Il m'expliqua comment il avait appris à subsister sur les baies et les fruits qu'il trouvait dans l'île et les huîtres et les poissons de la mer et des rivières.

—Auriez-vous un peu de fromage sur vous, par hasard? demanda-t-il. J'ai passé bien des nuits à rêver de fromage, bien grillé et dégoulinant d'une épaisse tranche de pain noir. Et puis, je me réveillais et je me retrouvais ici, sur cette île déserte.

Je dis à Ben Gunn que je n'avais aucune provision sur moi, mais que si je parvenais à retourner à bord de l' *Hispaniola* il pourrait avoir tout le fromage qu'il voulait.

Le vieil homme demanda mon nom, puis me demanda si j'étais avec l'équipage de Flint. Je lui annonçai que Flint était mort depuis longtemps. Ensuite, il me demanda si Grand-John Silver faisait partie de l'équipage du bateau. Voyant à quel point il était terrorisé,

Ben décrit son rêve d'un morceau de fromage.

je jugeai préférable de lui raconter toute l'histoire.

Il m'écouta avec le plus grand intérêt et quand j'eus fini, il me dit que j'étais un bon garçon. Il voulut savoir s'il pouvait espérer une récompense s'il nous apportait son aide à moi et à mes amis. Il souhaitait recevoir mille livres sterling et être assuré de la traversée de retour en Angleterre.

Je lui dis que le Squire était un homme d'honneur et qu'il récompenserait généreusement tout homme qui nous aiderait à sortir de notre terrible situation. A ces mots, Ben Gunn parut tout à fait soulagé et me raconta son histoire.

Il était membre de l'équipage de Flint quand le capitaine enterra le fameux trésor. Quand Flint alla à terre, il prit six hommes pour l'aider à enterrer le coffre. Une semaine plus tard, Flint revint, seul! Il avait tué les six matelots. Personne ne sut jamais comment et Flint seul savait où le trésor était enterré.

Ben parle de Flint et de ses meurtres.

L'ILE AU TRESOR

Billy Bones et John Silver étaient à bord de ce bateau. Quand ils lui demandèrent où était le trésor, il répondit seulement:

—Allez à terre, si vous voulez, mais ce bateau lève l'ancre cette nuit.

Ils restèrent à bord, bien entendu, et le bateau partit. Flint garda son secret.

Trois ans plus tard, Ben Gunn servait à bord d'un autre navire. Il vit l'île et la reconnut: c'était l'île où Flint avait enterré son trésor. Il convainquit ses camarades d'aller à terre pour chercher l'or. Pendant douze jours, sous un soleil brûlant, ils fouillèrent l'île de fond en comble, mais sans résultats. Chaque jour qui passait, voyait grandir la colère des matelots à l'égard de Ben. Au treizième jour, ils lui donnèrent une pelle et une hache et lui dirent qu'il pouvait rester sur l'île aussi longtemps qu'il le souhaitait et y poursuivre sa chasse au trésor, mais qu'il y restait seul.

Juste au moment où Gunn finissait son histoire, j'entendis un coup de canon.

Les compagnons de Ben l'abandonne sur l'île.

—La bataille a commencé! m'écriai-je. Suivez-moi!

Je commençai à courir vers la plage, Ben Gunn à mes côtés, trottant d'un pas léger. Il parlait constamment, mais je pouvais à peine comprendre ce qu'il me disait. Je vis bientôt le drapeau anglais qui flottait au-dessus des arbres et me dis que ce drapeau marquait le camp établi sur l'île par le docteur, le Squire et le capitaine Smollett. Pour moi, ce drapeau signifiait que j'étais sauvé.

Jim court vers le drapeau anglais.

Le capitaine et Hunter vont à terre.

Chapitre 16

Le capitaine raconte comment le bateau fut abandonné

"Il était environ une heure et demie quand deux chaloupes quittèrent l' *Hispaniola* pour se rendre à terre. Le docteur, le Squire et moi-même nous étions réunis dans la cabine pour discuter l'état de nos affaires. Un matelot nommé Hunter vint nous dire que Jim Hawkins s'était glissé dans une des chaloupes et était allé à terre avec les autres.

"Cette nouvelle nous inquiéta beaucoup et nous eûmes bien peur de ne jamais revoir le gamin vivant. Nous décidâmes que je prendrai un des canots de sauvetage et que je me rendrai à terre avec Hunter pour essayer de trouver Jim.

"Hunter et moi, nous nous dirigeâmes vers le petit fortin qui avait été construit sur l'île. J'avais un pistolet caché dans ma veste et j'étais prêt à tout.

"Nous venions de débarquer quand retentit un hurlement à glacer le sang. C'était le cri d'un homme qui va mourir. La première pensée qui me vint fut que c'était Jim Hawkins, le pauvre enfant, qui avait été capturé et tué par John Silver et sa bande.

"Je savais qu'il n'y avait pas une minute à perdre. Nous reprîmes le canot et Hunter appliquant toutes ses forces à ramer, nous fûmes bientôt de retour à bord du navire.

"Le Squire et le docteur étaient livides d'appréhension et Hunter lui-même tremblait de peur.

"Un plan audacieux fut arrêté, que nous mîmes immédiatement à exécution. Tenant en

On charge le canot de provisions.

respect avec nos mousquets les matelots que Silver avait laissés sur le bateau, nous chargeâmes le canot des provisions et de l'armement nécessaires à notre expédition. Notre plan était d'aller à terre, d'attaquer Silver avant qu'il nous attaque et de livrer une bataille à mort.

"Nous transportâmes sans difficultés le premier chargement jusqu'au rivage et nous décidâmes de faire un second voyage pour accroître nos réserves et donc notre supériorité en armes sur l'ennemi. Nous savions que nous en aurions besoin, si nous voulions nous en sortir vivants.

"Cependant, la marée commençait à descendre et le navire virait sur ses amarres. Nous fîmes un deuxième chargement, aussi considérable que le canot pouvait le permettre et, pour ce second voyage vers l'île, nous embarquâmes en plus de moi et de Hunter, le Squire, le docteur et son compagnon Redruth et les deux matelots, Joyce et Gray, qui avaient rallié notre parti."

Deuxième voyage à terre

Une parfaite cible en mer

Chapitre 17

Le docteur raconte le dernier voyage du canot de sauvetage

"Le dernier voyage du canot vers l'île fut le plus difficile. Le bateau était non seulement chargé au maximum de provisions et de matériel, mais encore de sept passagers. La mer commençait à grossir et il ne fallut pas moins que tous nos efforts conjugués pour empêcher le canot de dévier de sa route.

"Nous étions à peu près à mi-chemin quand je vis, à ma grande horreur, que les hommes de Silver qui étaient restés à bord, chargeaient le canon et le pointaient dans la direction de notre petite embarcation. Le pire était que, dans notre position, nous formions une cible parfaite.

"Je voyais et j'entendais parfaitement ce brigand d'Israël Hands qui préparait une charge de boulets sur le pont.

—Qui de nous est le meilleur tireur? demanda le capitaine.

—Monsieur Trelawney, sans aucun doute, répondis-je.

—Monsieur Trelawney, ayez donc l'obligeance de me descendre un de ces coquins, s'il vous plaît. Israël Hands, si c'est possible, dit le capitaine.

"Le Squire se prépara à tirer avec un calme imperturbable. Il visa soigneusement et fit feu. Il y eut une grande agitation à bord, mais le coup passa juste au-dessus de la tête de Hands et ce fut un des autres matelots qui tomba. Il fut bientôt évident que les brigands n'allaient pas se laisser intimider pour autant. Ils ne jetèrent même pas un coup d'œil sur leur

Le Squire Trelawney vise et fait feu.

camarade blessé, bien qu'il ne fût pas mort et que je vis se traîner de côté.

"Nous nous remîmes à ramer de toutes nos forces et les boulets de canon passèrent au-dessus de nos têtes pour la plupart. L'un d'eux cependant avait dû toucher l'arrière de l'embarcation car elle commença à couler. Heureusement, nous étions près de la côte et je me retrouvai avec le capitaine dans trois pieds d'eau. Nous étions tous sains et saufs sur le rivage, mais toute notre cargaison était perdue. Pire encore, sur cinq mousquets que nous avions, deux seulement étaient en état de servir.

"Pour ajouter encore à nos inquiétudes, les voix des hommes de Silver nous parvinrent, se rapprochant du rivage. Nous comprîmes que notre seule issue était de courir aussi vite que nous le pourrions, pour nous mettre à l'abri dans le fortin."

Sains et saufs!

Les hommes de Silver tirent sur le fortin.

Chapitre 18

Jim continue le récit

J'approchai le fortin avec les plus grandes précautions. Je savais que le docteur et son groupe avaient atteint l'île sans encombre puisqu'ils avaient hissé le drapeau. Mais la bataille faisait rage. Les hommes de Silver tiraient sur le fortin et le parti du docteur ripostait avec fureur.

Je dis adieu à Ben Gunn qui me rappela ma promesse. Il me dit où on pourrait le trouver et demanda seulement que celui qui viendrait le chercher porte un drapeau blanc afin qu'il sache qu'il n'y avait pas de danger.

Pendant un moment, j'observai la bataille de ma cachette. Les hommes de Silver démolissaient le canot de sauvetage à coups de hache. Les chaloupes allaient et venaient entre le navire et l'île. Les hommes criaient et riaient et je pouvais voir qu'ils avaient bu beaucoup de rhum.

Finalement, j'arrivai jusqu'au fortin. Le docteur me regarda avec incrédulité, car il m'avait cru mort. Je racontai mon histoire et me mis à examiner soigneusement l'espèce de cabane où nous nous trouvions. Elle avait été construite avec des troncs d'arbres non équarris, avec un porche sur le devant. Sous le porche coulait une petite source d'eau douce. Il n'y avait pas grand chose à l'intérieur: un bloc de pierre qui pouvait servir de siège et une sorte de foyer en fer rouillé qui permettrait éventuellement de faire du feu.

Si nous étions restés à ne rien faire, l'ennui nous aurait vite rendus malheureux, mais le capitaine Smollett était bien trop intelligent

Les pirates détruisent le canot de sauvetage.

pour laisser une telle chose arriver.

Il nous rassembla et nous répartit en deux bordées: le docteur, Gray et moi dans l'une; le Squire, Hunter et Joyce dans l'autre. Nous étions tous très fatigués, mais deux d'entre nous furent désignés pour la corvée de bois et deux autres pour la corvée d'eau. Je fus placé en sentinelle à la porte et le capitaine passait d'un groupe à l'autre, ici remontant le moral et là, donnant un coup de main.

De temps en temps, le docteur venait me rejoindre à l'entrée et échangeait quelques mots avec moi.

—Cet homme, le capitaine Smollett, je dois reconnaître qu'il vaut mieux que moi et ce n'est pas peu dire, mon garçon!

Une autre fois, il me posa de nouvelles questions sur Ben Gunn. Je lui dis que je n'étais pas absolument sûr que le vieil homme fût sain d'esprit. Le docteur m'expliqua qu'il ne fallait pas attendre d'un homme abandonné pendant trois ans dans la plus complète soli-

La corvée de bois et d'eau

tude un comportement tout à fait normal. Mais le fait qu'il eût réussi à survivre prouvait la solidité de sa raison et son endurance.

Il me dit qu'il avait apporté un peu de fromage et qu'il le gardait pour Ben Gunn. Il avait l'impression que nous aurions besoin des services du vieil homme et, peut-être, plus tôt que nous ne le pensions.

Ce soir-là, nous fîmes le point sur nos chances de nous en tirer vivants. Le docteur prédit que l'excès de rhum et le climat malsain affaibliraient nos ennemis. Ceux qui ne seraient pas trop ivres pour se battre, attraperaient la fièvre en dormant près des marais. Le capitaine espérait, quant à lui, qu'ils capituleraient bientôt et retourneraient au navire pour continuer leurs vies de pirates.

J'étais mort de fatigue et dès le coucher du soleil, je m'endormis. Le jour levant me réveilla et la voix de quelqu'un qui criait:

—Drapeau blanc! Trêve! Trêve!

Eveillé par le soleil et les cris

Un drapeau blanc . . . Est-ce un piège?

Chapitre 19

La proposition de John Silver

Deux hommes se tenaient au bas de la colline du fortin et l'un d'eux agitait un linge blanc. Cet homme n'était autre que John Silver.

Le capitaine nous ordonna de rester à l'intérieur et de charger nos mousquets, prêts à tirer. Il n'avait aucune confiance en Grand-John et il soupçonnait un piège. Puis il se tourna vers les deux émissaires et leur demanda d'une voix forte ce qu'ils voulaient. Silver répondit qu'il voulait rencontrer le capitaine pour discuter les conditions d'un compromis.

Le capitaine répondit qu'il voulait bien parler, mais qu'à la moindre traîtrise, il le paierait de sa vie.

Il fit signe à Grand-John d'avancer et le marin à une jambe gravit péniblement la pente de la colline. Grimper cette côte raide était pour lui une rude épreuve et sa béquille glissa plusieurs fois dans le sable mou. Mais il tint bon, et arriva enfin devant le capitaine qu'il salua avec une politesse ostentatoire.

Les deux hommes s'assirent sur le rebord du porche et bourrèrent leurs pipes.

—Voilà! dit Silver. Nous savons que vous avez une carte et nous la voulons. Si vous nous la donnez, nous pourrons en finir avec ces batailles et ces tueries. Une fois que nous aurons le trésor, vous pourrez revenir à bord avec nous et je vous donne ma parole d'honneur que nous vous débarquerons quelque part, sains et saufs. Ou alors, vous pouvez choisir de rester ici et le premier navire que nous croisons, on l'envoie à votre rescousse.

Le capitaine Smollett se leva et se plaça en

Silver fait une proposition au capitaine.

face de Grand-John.

Il expliqua à son tour, avec un ton d'autorité qui ne prêtait pas à discussion, que si John et ses hommes acceptaient de capituler et de se rendre, ils les ramèneraient tous en Angleterre où ils seraient jugés selon les lois maritimes. C'étaient ses conditions, il n'y en aurait pas d'autres. Il savait que les pirates ne pouvaient trouver le trésor sans la carte et il savait aussi qu'aucun d'entre eux n'était capable d'effectuer la traversée de retour en Angleterre.

La colère envahit John Silver et ses yeux lancèrent des flammes de haine. Il éteint sa pipe et dit:

—Aidez-moi à me relever.

—Pas moi! répondit le capitaine.

On ne fit pas un geste pour aider Silver à se relever. Il tomba sur le sable et, grommelant les pires injures, il se traîna sur le sol pour prendre appui sur le porche. Il parvint alors à se lever.

Il cracha sur le sol et, tant bien que mal repartit pour rejoindre sa bande.

Silver repart tant bien que mal.

La bande de Silver jaillit du bois.

Chapitre 20

L'attaque

Silver parti, le capitaine nous ordonna de reprendre nos postes. Il était convaincu que les hommes de Silver nous attaqueraient bientôt et il n'y avait pas une minute à perdre pour nous y préparer. Il nous encouragea à prendre un solide petit déjeuner car nous aurions besoin de toutes nos forces. Après cela, nous préparâmes les armes et il n'y eut plus qu'à attendre.

Soudain, des coups de feu éclatèrent au dehors. Une troupe d'hommes de Silver jaillit du petit bois et courut droit au fortin. Au même moment, un coup qui venait du couvert des arbres, passa par l'ouverture de la porte et le mousquet du docteur vola en éclats.

Comme des singes, les assaillants grimpaient la palissade de l'enclos. Le docteur et le Squire tiraient coup sur coup. Trois hommes tombèrent, mais l'un d'entre eux n'était pas sérieusement blessé et il se releva et s'enfuit dans les bois.

Quatre hommes avaient maintenant pénétré notre territoire. Ils se ruèrent sur nous, hurlant comme des possédés. Des coups de feu partirent de part et d'autre, mais pas un des pirates ne tomba. En un moment, ils furent sur nous.

L'un des pirates empoigna l'arme de Hunter par le canon et la jeta par la fenêtre. Puis d'un coup de poing il l'assomma et Hunter tomba comme une masse. Un autre était entré par la porte de derrière et attaqua le docteur au coutelas.

La cabane était pleine de fumée, ce qui nous donnait une certaine mesure de protection, ajoutant à la confusion générale et aveuglant nos ennemis.

Un pirate attaque le docteur au couteau.

L'ILE AU TRESOR

Cependant, le capitaine nous ordonna de continuer le combat dehors. Je saisis une épée sur la pile que nous avions préparée et, à ce moment, quelqu'un me donna un coup de couteau qui me mit les doigts en sang. Je m'élançai dehors, en plein soleil. Je sentis quelqu'un derrière moi, très près. Je fis demi-tour pour passer de l'autre côté de la cabane, mais cela me mit en face d'un des pirates. Il poussa un hurlement sauvage en brandissant son coutelas haut au-dessus de sa tête. J'en profitai pour faire un saut de côté, mais je trébuchai et ma chute m'entraîna jusqu'au bas de la colline. Quand je pus me relever, je vis que le combat prenait fin. Les pirates étaient en fuite et la victoire nous appartenait!

Je grimpai la pente. La fumée s'était plus ou moins dissipée et, en entrant dans la cabane, je pus estimer d'un coup d'œil le prix de cette victoire. Hunter était toujours assommé et Joyce avait reçu une balle dans la tête.

Jim saisit une épée.

Le docteur soigne la blessure du capitaine.

Chapitre 21

Le commencement
de mes aventures en mer

Les mutins ne se montrèrent plus et pas un seul coup de feu ne partit du bois. Les rebelles paraissaient avoir accepté la défaite. Pour nous, ce fut un moment de tranquillité qui permit de soigner les blessés. Le capitaine était sérieusement atteint. Aucun organe important n'était touché, mais l'os de l'épaule était brisé et cela affectait le poumon. Le docteur lui dit que tout irait bien s'il évitait de marcher et de bouger son bras pendant plusieurs semaines. Quant à Hunter, malgré tous nos efforts, il ne reprit jamais connaissance.

La coupure sur mes doigts n'était pas grave et le docteur la pansa en quelques minutes. Quand il eut terminé, il m'informa qu'il allait partir à la recherche de Ben Gunn. Il avait dans l'idée que le vieil homme pourrait nous aider.

Le jour avançait. La maison était maintenant étouffante de chaleur et le petit enclos devant le porche était lui aussi brûlant de soleil. Je me pris à envier le docteur qui se promenait dans les sous-bois, au frais, avec les chants des oiseaux et l'odeur des pins, pendant que j'étais là à me griller au soleil, les vêtements collés à la peau et l'odeur des morts et des mourants partout autour de moi!

C'est alors que je me mis en tête de trouver le bateau que Ben Gunn avait construit avec des moyens de fortune, de retourner à l'*Hispaniola* et de couper les amarres. Mon plan était tout prêt dans ma tête et j'étais sûr qu'il marcherait.

Personne ne faisant attention à moi, je m'esquivai et partis en courant dans les bois,

Jim part mettre son plan à exécution.

laissant deux hommes seulement pour monter la garde au fortin.

Je marchai longtemps à travers bois avant de trouver mon chemin vers la côte. L'air frais me caressait le visage et, pendant un bref instant, il me sembla que j'étais de retour à la maison et que tout le reste n'était qu'un horrible cauchemar.

Du rivage, je pouvais voir l'*Hispaniola* et même entendre les voix des pirates qui arpentaient les ponts. Quand la nuit tomba, les pirates prirent un canot de sauvetage et ramèrent vers la côte. C'était l'occasion que j'attendais, mais encore fallait-il que je trouve le bateau de Ben.

Il faisait presque nuit noire quand enfin je le découvris, à sec sur la plage, caché derrière un rocher. Il était tout petit, mais bien construit et assez bon pour ce que j'avais à faire. Avant de partir, je mangeai un morceau. Le soleil lança ses derniers rayons et disparut et l'obscurité complète tomba sur l'Ile au Trésor.

Jim trouve le petit bateau de Ben Gunn.

Jim rame vers le navire.

Chapitre 22

Israël Hands

Quand enfin je fus absolument certain que je pouvais commencer ma traversée sans risquer d'être vu, je détachai le petit canot, le mis à l'eau et commençai à ramer sans bruit en direction de l'*Hispaniola*. La mer était calme et cela me permit de diriger facilement mon frêle esquif et de l'amener tout contre le navire. A quelques mètres seulement de l'*Hispaniola*, je voyais clairement la lumière jaune de la lanterne qui passait par le hublot inférieur de la cabine. Le navire paraissait vide, à l'exception d'un seul homme de la bande à Silver:

L'ILE AU TRESOR

Israël Hands, celui-là même que j'avais entendu comploter avec Grand-John quand j'étais caché dans le tonneau aux pommes.

Il paraissait blessé et quand je me hissai jusqu'au hublot pour voir l'intérieur de la cabine, je vis un autre homme étendu sur le sol, mort. Apparemment, il y avait eu une querelle dont Israël Hands était sorti vainqueur. Mais il était aussi gravement blessé et seul. C'était l'occasion parfaite de mettre mon plan à exécution.

Je m'arrangeai pour grimper à bord du bateau. Tirant mon couteau de la poche, je coupai le cable de l'ancre. Bien que seul, une fois à bord, je décidai d'affronter Hands.

Ma soudaine apparition prit Israël Hands totalement par surprise. A cause de sa blessure, il ne pouvait pas faire grand-chose sinon gémir de douleur. Il avait une large plaie ouverte à la jambe et il pouvait à peine bouger. Je l'informai que j'étais maintenant capitaine du navire et que j'étais venu en prendre pos-

Un mort est étendu sur le sol de la cabine.

session. Il se contenta de me répondre d'un signe de tête et me pria de lui donner de l'eau de vie et de la nourriture.

Je descendis dans la cambuse et avec les provisions qui s'y trouvaient, je nous préparai de quoi manger. Puis je pansai sa blessure et l'aidai à se relever. Quand il eut bu et mangé, Israël Hands réussit à se redresser, à parler plus clairement et me parut en bonne voie de se remettre.

Je fis un pacte avec le blessé. Je prendrais soin de lui s'il m'aidait à amener le navire jusqu'à un mouillage où il serait invisible de l'île. De cette façon, Silver et sa bande perdaient leur seul moyen de fuite et je pourrais aider mes amis à s'échapper.

Le vent nous était favorable et juste avant que le soleil se lève sur un nouveau jour, j'avais pratiquement accompli ma mission de conduire l'*Hispaniola* de l'autre côté de l'Ile au Trésor. Quand Israël Hands fut certain que le navire suivait le cours que nous lui avions donné, il me

Jim panse les blessures d'Israël Hands.

demanda de descendre à nouveau dans la cam
buse pour aller lui chercher du vin. Il prétext
que l'eau de vie était soudain devenue trop fort
pour son goût. Je compris tout de suite qu'i
cherchait à se débarrasser de ma présence su
le pont. Il manigançait quelque chose, c'étai
sûr! Aussi, je décidai de lui donner l' illusion
que j'entrais dans son jeu et acceptai de descen
dre. Mais dès que je fus hors de vue, je retira
mes chaussures et revins sur mes pas pou
épier ses faits et gestes.

Il s'était levé et bien qu'il souffrît encore
énormément, on voyait bien qu'il avait main
tenant le plein usage de ses deux jambes. Il at
teignit le coffre aux équipements et en tira ur
long coutelas qu'il cacha dans sa veste. Ce fut
pour moi le signal que je devais agir vite, si je
ne voulais pas me retrouver dans le même état
que l'autre matelot, celui qui était étendu sur
le sol de la cabine.

Cependant, avant que je puisse faire la
moindre chose, l'*Hispaniola* toucha le fond et

Hands cache un couteau dans sa veste.

cet arrêt brusque nous envoya tous les deux rouler sur le pont et par-dessus bord. Nous tombâmes à l'eau. Je me relevai tout de suite et pataugeai jusqu'au rivage. Hands me suivait de près et malgré sa jambe blessée, il avançait rapidement. Quand il fut à portée, je sortis mon pistolet et lui criai:

—Encore un pas, Monsieur Hands, et je vous fais sauter la cervelle.

Il s'arrêta immédiatement et je vis qu'il essayait de réfléchir. Quand enfin il parla, ce fut pour dire qu'il se reconnaissait battu.

Je buvai ses paroles comme du petit lait et je me félicitai déjà de ma propre habileté quand un éclair passa dans l'air. Hands venait de lancer son couteau et de toucher mon épaule qui se mit à saigner abondamment. Sans hésiter, je fis feu et j'entendis un cri étouffé. Israël Hands tomba dans la mer la tête la première et exhala son dernier soupir.

"Je vous fais sauter la cervelle!"

Impatient de retrouver ses amis

Chapitre 23

Dans le camp de l'ennemi

J'étais mal en point, me sentant malade et au bord de l'évanouissement. Le sang de ma blessure coulait à flots dans mon dos et sur ma poitrine. Je revins au navire et trouvai là de quoi panser la plaie. Je m'assurai ensuite que le navire était solidement arrimé sur la plage. Ceci fait, je me mis en route pour retrouver mes compagnons et leur annoncer la bonne nouvelle.

Je marchai longtemps et arrivai enfin à la clairière où était le fortin. Je vis un grand feu qui flambait gaiement et mon cœur se dilata de joie à la pensée de revoir mes amis.

J'allai vers la porte de la cabane. Tout le monde dormait à poings fermés et je m'en voulus de les avoir laissés sans personne pour monter la garde.

Sans faire de bruit, j'entrai dans la pièce et enjambai les corps des hommes endormis. J'entendis alors une voix criarde qui perçait l'obscurité:

—Pièces de huit! Pièces de huit!

C'était le perroquet de Silver. Je n'eus pas le temps de faire un geste. En un éclair, Silver me tomba dessus et je compris que je venais d'être fait prisonnier.

Les pirates allumèrent des torches et firent cercle autour de moi. Silver éclata de rire en voyant l'expression de peur sur mon visage. Il me raconta que le matin même, le docteur était venu avec un drapeau blanc lui apprendre que l'*Hispaniola* n'était plus au mouillage et avait disparu, sans doute partie à la dérive. Ils ne savaient ni l'un ni l'autre où elle était ni ce qui était arrivé. Le docteur avait alors cédé le fortin à Silver, tandis que lui et ses com-

Prisonnier de John Silver

pagnons installaient leur quartier-général dans une autre partie de l'île.

Je demandai à Grand-John si le docteur avait pris de mes nouvelles. Silver me le confirma et ajouta qu'il m'en voulait beaucoup de les avoir désertés alors que le capitaine était malade et qu'ils avaient besoin de tous les hommes dont ils pouvaient disposer.

A ce point de la conversation, le reste de la bande exigea mon exécution immédiate, mais le vieux pirate ne voulut rien savoir. Il leur dit que je pourrais éventuellement servir d'otage pour reprendre l'avantage quand le bateau serait retrouvé. La colère montait parmi les hommes et bientôt les menaces furent dirigées contre John Silver lui-même. Ils l'accusèrent de vouloir jouer sur les deux tableaux et déclarèrent qu'ils n'avaient plus confiance en lui.

Alors, John Silver plongea la main dans sa poche et en tira un papier qu'il jeta sur le sol de la cabane. C'était la carte du trésor!

Silver jette la carte sur le sol de la cabane.

Le docteur vient soigner les pirates blessés.

Chapitre 24

Le plan

Quand les hommes virent la carte, les discours de rébellion s'arrêtèrent. Ils étaient si excités, qu'ils eurent du mal à se rendormir. Il m'était aussi bien difficile de dormir car je ne comprenais toujours pas pourquoi le docteur avait abandonné le fortin et cédé la carte du trésor.

Tôt le lendemain matin, je reçus la réponse à toutes mes questions quand le docteur lui-même vint nous rendre visite. Il apportait des médicaments et des pansements pour soigner les blessés. Quand il me vit, il se contenta de froncer les sourcils et poursuivit son travail sans m'adresser la parole. Quand il eut terminé il demanda à Grand-John s'il pouvait me parler dehors. Le vieux pirate accepta sans se faire prier.

Le docteur mit la main sur mon épaule et me demanda où j'étais allé. Quand je lui racontai mes aventures, son visage s'éclaira: j'apportai de bonnes nouvelles. Maintenant qu'il savait le navire à l'abri dans un lieu sûr, il pensait que nous avions une bonne chance d'en réchapper. Il me dit d'avoir confiance.

A ce moment, John Silver nous rejoignit et annonça au docteur qu'il allait lancer la recherche du trésor. Le docteur sourit et lui recommanda d'être très prudent. Puis il me serra la main, me fit un clin d'œil complice et disparut dans les bois.

Quelque chose se préparait et je me dis que je devais faire confiance au docteur. S'il avait un plan, et je savais qu'il devait en avoir un, il valait mieux que je suive le mouvement et que je tienne ma langue.

Le docteur a un plan.

Un solide petit déjeuner

Chapitre 25

La chasse au trésor

Quand les soins furent donnés aux blessés, on se réunit autour du feu pour le petit déjeuner. Grand-John promit à ses hommes que je passerai dans leur camp quand le trésor serait découvert et que nous reprendrions la mer. En attendant, ma présence à leurs côtés était une sauvegarde contre toute attaque surprise.

Le repas fini, les hommes s'armèrent de pelles et de haches et nous partîmes en direction de la colline appelée la "Longue-Vue", bien décidés à suivre à la lettre les instructions de la carte.

L'ILE AU TRESOR

Nous avions couvert deux milles environ, quand un des hommes se mit à pousser des cris de terreur. Nous suivîmes la direction des cris et quand nous arrivâmes à l'endroit où il se tenait, nous vîmes ce qui l'avait effrayé. Un squelette humain était étendu sur le sol au pied d'un arbre. Mon cœur se crispa dans ma poitrine comme si une main glaciale le saisissait entre ses doigts. C'était sans doute un des hommes qui avaient accompagné le capitaine Flint dans l'île quand celui-ci y avait enterré son trésor.

Grand-John examina le squelette. Les os, blanchis par le soleil, étaient disposés d'une manière assez particulière. Le corps était parfaitement droit, les pieds pointant dans une direction et une main, dressée au-dessus de la tête dans la pose typique des plongeurs, pointait dans la direction directement opposée.

Silver sortit sa boussole. Le squelette indiquait la direction de l'est. Flint s'était servi

Un squelette humain!

des ossements d'un mort pour montrer le chemin vers le trésor.

Les hommes commencèrent à parler de mort et de fantômes et même de l'esprit du capitaine Flint. Ils étaient pleins de craintes superstitieuses quand, alors que nous avancions sous les arbres que la brise balançait, un faible cri se fit entendre:

—Darby Mac Graw, entendait-on la voix chevrotante dire, Darby Mac Graw, donne-moi le rhum...

Les hommes s'arrêtèrent, paralysés par l'angoisse. Ce qu'ils venaient d'entendre, c'était les derniers mots prononcés par le capitaine Flint avant de mourir. Après cela, ce n'étaient pas que l'envie de fuir leur manquât, mais la peur les forçait à rester ensemble.

—Ecoutez, dit Silver, c'est un écho que nous avons entendu. Je vous accorde que ça ressemblait à la voix de Flint, mais pas vraiment. A mon avis, c'était plutôt la voix de quelqu'un d'autre. Silver se gratta la tête un moment,

Les hommes s'immobilisent, glacés de peur.

puis il reprit:

—Ben Gunn! Voilà à qui ça ressemblait! Et alors, dites-moi un peu, vivant ou mort le vieux Ben Gunn n'est pas quelqu'un à nous faire peur, hein? Pas vrai, camarades?

Les hommes se reprirent aussitôt et les visages retrouvèrent quelque couleur. Maintenant que le trésor était à leur portée, ils n'étaient pas prêts à laisser quiconque, vivant ou mort, se mettre en travers de leur chemin.

Nous arrivâmes bientôt à proximité de l'endroit où devait se trouver le trésor. Les pirates faillirent me renverser dans leur précipitation.

—Allons-y camarades, allons-y! Tous ensemble! s'écria quelqu'un.

Mais ils firent dix pas à peine et je les vis s'arrêter aussi brutalement que complètement. Devant eux s'ouvrait un énorme trou béant et ... vide!

C'était clair comme le jour. Quelqu'un avait déjà trouvé le trésor et s'en était emparé.

Silver était pris à son propre jeu!

Un grand trou béant!

"Tiens-toi prêt à la bagarre."

Chapitre 26

La révolte
des hommes de Silver

Pendant un long moment, les hommes restèrent figés sur place, les yeux fixés sur ce trou noir et vide. Silver me passa un pistolet et murmura:

—Prends ce pistolet et tiens-toi prêt à la bagarre.

Il commença en même temps à manœuvrer sans bruit pour mettre une certaine distance entre lui et ses hommes. J'étais si révolté par son manque de loyauté que je ne pus m'empêcher de murmurer:

—Alors, vous tournez casaque? Encore?

Avant même qu'il puisse me répondre, les pirates, comme sortis d'un rêve, se mirent à jurer et à s'agiter.

L'un d'eux rassembla la bande autour de lui et, se plantant en face de John Silver, il dit d'une voix forte:

—Camarades! Regardez-les, ces deux-là! L'un est le vieil infirme qui nous a entraînés ici et l'autre, c'est ce diable de gamin qui nous fait tant d'ennuis! Camarades, je n'ai pas l'intention de les laisser échapper!

Son bras dressé au-dessus de sa tête et le ton vibrant de sa voix ne laissaient pas de doute sur son intention de nous attaquer. Mais juste à ce moment-là,—crac-crac-crac—, trois coups de feu éclatèrent et trois hommes tombèrent morts. Les trois autres pirates s'enfuirent de toute la vitesse de leurs jambes.

Le docteur, Gray et Ben Gunn sortirent alors du bosquet où ils étaient cachés et vinrent nous rejoindre. Les pistolets qu'ils por-

Les pirates sont attaqués.

taient fumaient encore des coups qu'ils ve
naient de tirer.

—Mes humbles remerciements, docteur, di
Grand-John en s'épongeant le front. Vous êtes
arrivé juste à temps! Mais, par exemple! C'est
donc bien toi, Ben Gunn! Je n'aurais jamais
cru te revoir vivant!

Le docteur s'assit sur un rocher et finale
ment m'expliqua tout ce qui s'était passé
depuis le commencement.

Pendant ses longues randonnées solitaires
d'un bout à l'autre de l'île, Ben Gunn était
tombé par hasard sur la cachette du trésor de
Flint. Peu à peu, à force de travail et de voyages successifs, il avait transporté le trésor sur
son dos jusqu'à une caverne qui se trouvait de
l'autre côté de l'île.

Le docteur lui avait soutiré ce secret l'après-
midi de l'attaque du fortin. Le lendemain
matin, quand il vit que le navire n'était plus
au mouillage, il alla voir Grand-John. Il lui
abandonna la carte qui n'avait plus, alors, au-

Le docteur donne la carte à Grand-John.

cune valeur, et la possession du fortin. Er
effet, tout en ayant l'air de lui céder la place
le docteur regagnait au contraire sa liberté d
mouvement et la possibilité de se rendre dan
la caverne où Ben Gunn avait caché le trésor
En se rapprochant du site de la caverne, l
docteur poursuivait deux buts: éloigner sor
groupe de l'atmosphère viciée des marais e
des risques de paludisme et être près du tré
sor pour en assurer la garde. Mais quand l
docteur apprit que j'avais été capturé par Sil
ver et sa bande, il se trouva obligé de change
quelque peu ses plans. Il avait calculé qu'un
révolte ne manquerait pas d'éclater dès que le
hommes de Silver découvriraient que le tréso
avait disparu et que Grand-John risquait for
d'être exécuté. Mais il avait à craindre main
tenant que je ne devienne la seconde victime

Pour tendre son embuscade, le docteur de
vait trouver le moyen de ralentir l'avance de
pirates afin que Gray et lui aient le temps d
se cacher dans les buissons autour du trou d

Silver a eu de la chance d'avoir Jim avec lui.

trésor. Ce fut alors que Ben Gunn eut l'idée d'agir sur les esprits superstitieux des marins et décida de jouer les fantômes, celui de Flint en particulier. La ruse réussit parfaitement.

—Ah! dit Silver, quand il eut entendu toute l'histoire, j'ai eu de la chance d'avoir Hawkins ici avec moi. Sans ça vous auriez bien laissé le vieux John être coupé en morceaux, sans le moindre regret, hein?

—Sans le moindre regret! répondit gaiement le docteur Livesey.

Après cela, nous nous préparâmes à nous rendre à la caverne de Ben Gunn et à commencer le transfert du trésor sur l'*Hispaniola*. Tout en parlant le docteur nous avait ramenés sur la plage où nous embarquâmes tous dans une chaloupe. A force de rames, nous fîmes le tour de l'île.

Au bout d'un moment, Ben Gunn nous cria que la caverne était en vue. Nous gagnâmes le rivage et peu après nous entrâmes dans la cachette.

Le trésor est dans la caverne.

L'ILE AU TRESOR

C'était une vaste caverne, bien aérée, où coulait une petite source qui formait une piscine naturelle pleine d'une eau limpide. Le sol était couvert de sable. Devant un grand feu allumé se reposait le capitaine Smollett. Dans un coin je vis briller des tas de pièces et des piles de barres d'or. C'était donc là le trésor que nous étions venus chercher de si loin et qui avait déjà coûté la vie de dix-sept hommes de l'*Hispaniola*.

Le capitaine Smollett sourit en me voyant. Tout était pardonné et il me serra la main comme à un vieil ami.

Cette nuit-là, nous préparâmes un festin pour célébrer notre bonne fortune. On goûta à la viande de chèvre salée du vieux Ben Gunn et on but une bonne bouteille de vin de la réserve de l'*Hispaniola*. Jamais compagnons ne furent plus gais que nous ce soir-là. Silver était là, lui aussi, partageant notre repas et souriant avec la tranquillité d'un bon marin honnête, comme si rien de tous les événements tragiques que nous avions traversés n'était arrivé.

Une fête!

Le chargement du trésor

Chapitre 27

La fin de mon aventure

Le lendemain matin nous nous mîmes au travail sans perdre de temps, car le transport du trésor sur le bateau était une entreprise assez considérable. Nous n'avions pas oublié que trois des hommes de Silver étaient encore sur l'île et nous postâmes une sentinelle pour faire le guet. Ben Gunn et Gray préparaient des chargements de sacs d'or en barre et les transportaient sur le bateau, un par un. Quant à moi, j'étais chargé de mettre dans des sacs plus petits tout l'argent liquide.

C'était une étrange collection, car il y avait

des pièces et des billets du monde entier. Il y en avait de toutes les formes et de toutes les tailles.

D'étranges pièces de l'Orient, ornées de ce qui ressemblait à des bouts de ficelle ou de toile d'araignée et des pièces rondes percées d'un trou au milieu. J'étais émerveillé à la pensée de tous ces pays où Flint avait dû aller pour amasser un tel trésor.

Ce labeur se poursuivit pendant plusieurs jours. Chaque soir une fortune considérable avait été chargée à bord et chaque matin il y en avait encore plus à transporter au navire.

Au bout du quatrième jour, alors que le docteur et moi faisions une petite promenade sur le versant de la colline, nous entendîmes des sons de voix humaines.

—Que Dieu leur pardonne! dit le docteur, ce sont les mutins.

—Ils sont tous ivres, monsieur, commenta John Silver.

Avec notre permission implicite, Silver

De l'argent des quatre coins du monde!

jouissait de la plus grande liberté dans notre camp, bien que nous ne lui montrions aucune amitié. Mais rien ne semblait troubler le vieux pirate, et il accomplissait les tâches qu'on lui confiait avec son entrain et sa gaieté habituels.

Quand le docteur suggéra que certains des rebelles avaient peut-être besoin de soins médicaux, Grand-John intervint pour la première fois.

—Sauf votre respect, monsieur, dit-il, vous auriez tort de soigner ces hommes. Eux vous tueraient, pour un oui ou un non, vous savez, j'en suis certain. Je suis de votre bord maintenant, et je m'en voudrais qu'il arrivât quoi que ce soit qui mettrait notre retour en cause.

Autant qu'il lui en coûta de l'admettre, le docteur savait que Grand-John avait raison et que notre seule alternative était de laisser les trois hommes sur l'île où ils s'arrangeraient comme ils pourraient. Nous laissâmes dans la caverne, à leur intention, toutes sortes de pro-

Provisions et médicaments pour les mutins

visions, d'armes, d'outils et de médicaments qui les aideraient à survivre.

Enfin vint le jour où tout le trésor fut en sûreté sur le bateau et où nous fûmes prêts à partir pour le voyage de retour. Le lendemain matin, de très bonne heure nous embarquâmes sur l'*Hispaniola* et le moment vint de dire un dernier adieu à l'Ile au Trésor.

Comme nous poussions au large, les trois proscrits apparurent sur le rivage, appelant, suppliant qu'on les prenne à bord. Mais nous ne pouvions prendre le risque d'une autre mutinerie. Le docteur les héla et leur dit où ils pourraient trouver les provisions et les médicaments que nous avions laissés pour eux.

A la fin, quand ils virent que nous n'avions pas l'intention de faire demi-tour pour les prendre à bord, ils commencèrent à tirer sur le bateau. Les balles manquèrent Silver de peu et nous nous mîmes à couvert jusqu'à ce que nous soyons hors de leur portée.

Nous étions si peu nombreux que chacun

Les mutins ouvrent le feu sur le navire.

d'entre nous devait faire le travail de deux hommes. Le capitaine, qui se remettait lentement de sa blessure, était installé sur un matelas et nous donnait les ordres.

Le soleil allait se coucher quand nous jetâmes l'ancre dans le premier port que nous rencontrâmes sur notre route. C'était une baie splendide, bien protégée par des avancées de terre. Une multitude de petites embarcations nous entoura aussitôt, conduites par des indigènes qui nous proposaient de merveilleux fruits et légumes. Les sons, les spectacles et les parfums de cet endroit idyllique ne firent pas peu pour nous aider à oublier les tragédies sanglantes de nos aventures sur l'Ile au Trésor.

Le docteur et le Squire m'emmenèrent avec eux pour passer la soirée à terre. De retour sur l'*Hispaniola,* nous trouvâmes Ben Gunn seul sur le pont et il nous confessa tout de suite que Silver était parti. Il s'était échappé dans la pirogue d'un indigène quelques heures après notre départ. Il n'était pas parti les mains

Silver s'est échappé!

vides et avait pris quelques sacs d'or avec lui.

A la réflexion, nous fûmes tous assez contents d'être enfin débarrassés de lui. Après tout, avec ce gredin, on ne pouvait jamais savoir quel coup il était en train de monter...

Après cet incident, le voyage fut calme et sans histoires. Nous prîmes un nouvel équipage et la traversée fut bonne. De l'équipage que nous avions au départ, il ne restait que cinq hommes. Mais enfin! Nous n'étions pas aussi mal en point que cet autre bateau décrit dans une des chansons que les marins chantaient souvent:

"Ils étaient partis soixante et quinze,
   Soixante et quinze à naviguer,
   Et maintenant, un seul restait,
   Un seul vivant, sur les soixante et quinze."

Nous reçûmes notre juste part du trésor de Flint pour en user selon notre bon plaisir. Le capitaine Smollett acheta une petite maison à la campagne et s'y retira estimant, après ce dernier voyage, que la vie paisible des terriens

L'argent de Ben Gunn disparaît en boisson.

avait du bon! Gray économisa son argent et se mit à étudier sérieusement, apprenant les aspects techniques de sa profession. Il est maintenant premier lieutenant et co-propriétaire d'un fin voilier long-courrier. De plus, marié et père de famille.

Quant à Ben Gunn, il reçut une bonne part du trésor de Flint puisque c'est lui qui nous avait conduit jusqu'à lui, finalement. Malheureusement, les trois années de solitude avaient fait plus de dégâts dans sa tête que nous ne l'avions pensé en premier lieu. Sa soudaine richesse lui fit perdre la tête si complètement que toute sa fortune fut bue et jouée en dix-neuf jours. Au vingtième, il en fut réduit à mendier dans les rues. Quelques marins le prirent en pitié et lui confièrent une auberge à tenir en leurs noms. Il y vit toujours et est devenu le grand favori des équipages de passage. Il chante aussi à l'église, chaque dimanche, fort bien et de façon fort assidue.

Le docteur retourna à sa pratique et ouvrit

Un remarquable chanteur à l'église

une clinique gratuite pour les pauvres. Il s'est acquis une belle réputation d'homme de sciences et de bienfaiteur des plus déshérités.

Nous n'entendîmes plus jamais parler de John Silver. Je crois qu'il a enfin disparu de nos vies, une fois pour toutes. Je sais, de source sûre, qu'il n'est jamais retourné auprès de la femme et des enfants qu'il avait à Bristol. Il se peut aussi qu'ils l'aient rejoint quelque part et qu'ils passent tous ensemble leurs jours dans le calme et le luxe, sur quelque île lointaine. C'est ce que je lui souhaite en tous cas. Autant qu'il profite bien des joies de ce monde, car il ne peut pas espérer recevoir beaucoup de consolations dans l'autre.

On ne revit jamais en Angleterre les trois mutins que nous avions laissés sur l'île. Mais qui sait? Il n'est pas impossible qu'ils aient été recueillis par un autre navire et qu'ils continuent à écumer les mers.

Quant à moi, rien ne peut me rendre plus heureux que de passer le restant de mes jours

De retour à l'auberge

L'ILE AU TRESOR

à terre, loin des dangers. Je n'oublierai jamais l'enivrement des aventures de ce voyage, mais rien ne pourra jamais me faire reprendre la mer ou retourner à l'Ile au Trésor.

Quand je revins en Angleterre avec ma part du trésor, ma première visite fut pour ma mère. Inutile de vous dire sa joie de me revoir! Elle tenait l'auberge maintenant et, pour la première fois depuis bien des années, elle était heureuse et dans l'aisance. Je voulus partager ma bonne fortune avec elle, mais elle ne voulut rien entendre.

Je passai plusieurs mois dans les hésitations, me demandant ce que j'allais faire du reste de ma vie. Je voyais le docteur fréquemment et je passais des heures à discuter mon avenir avec lui.

Puis ma mère tomba malade et, malgré tous les soins qui lui furent prodigués, elle mourut au printemps. Je me retrouvai donc en charge de l'auberge. Mon père et ma mère avaient l'un et l'autre passé leur vie à s'occuper des marins

Un nouveau propriétaire pour l'auberge?

et des voyageurs. C'était mon tour, maintenant, de poursuivre la tradition familiale.

Un après-midi, un monsieur de Londres arriva à l'auberge. Favorablement impressionné par l'endroit, il proposa de l'acheter. Il était las de l'agitation de la grande ville et souhaitait se retirer au bord de la mer. Après en avoir discuté avec le docteur, je décidai de vendre l'auberge.

L'affaire fut faite en moins d'un mois. Quand tout fut réglé, je serrai la main du gentilhomme qui allait occuper ces lieux qui avaient été mon foyer pendant si longtemps.

Je vis toujours au bord de la mer et bien que je ne m'occupe plus d'assurer le confort des marins, je n'ai rien perdu de mon intérêt pour les navires et les récits d'aventures. Mais parfois, quand j'entends les lames se briser sur les rochers de la côte, je sursaute comme si je revivais un cauchemar et j'entends encore sonner dans mes oreilles la voix criarde de "Capitaine Flint", le perroquet de John Silver qui crie:

—Pièces de huit! Pièces de huit!

Pièces de Huit! Pièces de Huit!

ACHEVÉ D'IMPRIMER
EN MARS 1997
SUR LES PRESSES DE
PAYETTE & SIMMS INC.
À SAINT-LAMBERT (Québec)